HIGH TOP

하이탑

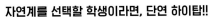

과학 고수들의 필독서

자연계를 선택할 학생이라면, 단연 하이탑!!

하이탑은 '과학'을 잘하고 싶고, '과학'으로 대학을 가려는 학생들이
30년 동안 변함없이 선택해 왔던 믿음직한 과학 전문 브랜드입니다.

HIGH TOP

과학으로 대학 가려면 꼭 봐야 하는 30년 역사의
과학 전문 대표 브랜드

중 1~3 / 통합과학 / 물리학 Ⅰ, Ⅱ / 화학 Ⅰ, Ⅱ / 생명과학 Ⅰ, Ⅱ / 지구과학 Ⅰ, Ⅱ

과학을 어려워하는 이들을 위한 과학 내신 기본서!

중 1~3 / 통합과학

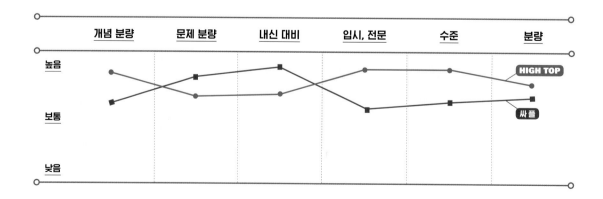

	개념 분량	문제 분량	내신 대비	입시, 전문	수준	분량
높음						HIGH TOP
보통						싸 플
낮음						

2권

중학교 과학 3

HIGH TOP

HIGH TOP의 구성과 특징

❝ 지금부터 **HIGH TOP**이 이끄는 대로 한 단계 한 단계 따라와 보세요.
자신도 모르는 사이에 과학 우등생이 되어 있을 것입니다. **❞**

1

단계

본문 개념 학습

- **학습 내용 설명** 학습 내용을 차근차근 설명하여 과학 원리를 체계적으로 이해할 수 있다.
- **자료 더하기** 개념 이해에 도움이 되는 추가 자료를 통해 더욱 정확하게 이해할 수 있다.
- **탐구 더하기** 4종 교과서에서 다루고 있는 다양한 탐구를 빠짐없이 학습할 수 있다.
- **학습 내용 CHECK** 학습한 내용 중 핵심만 바로바로 확인할 수 있다.

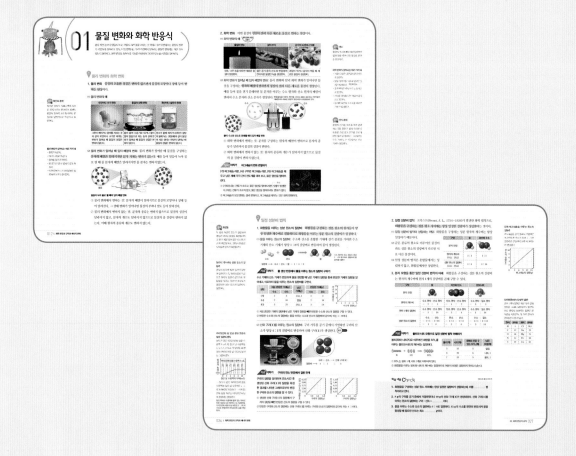

2 단계

탐구 실제로 활동을 하는 것처럼 자세한 과정과 정확한 분석으로 탐구 능력과 사고력을 기를 수 있다.

집중 분석 꼭 알아야 할 중요한 주제를 체계적으로 분석하여 내용을 더욱 완벽하게 이해할 수 있다.

심화 다른 교재에서는 접할 수 없는 높은 수준의 내용을 학습하여 과학 고수에 도전할 수 있다.

중단원 핵심 정리 본격적으로 문제를 풀기 전에 학습 내용을 핵심만 콕콕 집어 정리할 수 있다.

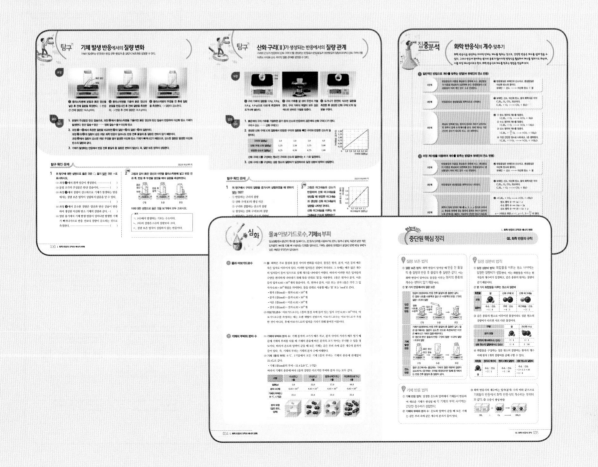

3 단계

개념 확인 문제 학교 시험에 자주 출제되는 문제로 구성하였으므로, 문제를 풀어 본 후 틀린 문제는 본문 개념 학습의 내용을 찾아 왜 틀렸는지 확실하게 알아 둔다.

실력 강화 문제 개념 확인 문제보다 수준 높은 문제로 구성하였으므로, 과학 고수라면 한 문제 한 문제 풀어 내야 한다.

서술형 문제 출제 의도에 따른 답변 전략을 Keyword로 정리한 후 논리적으로 서술할 수 있다.

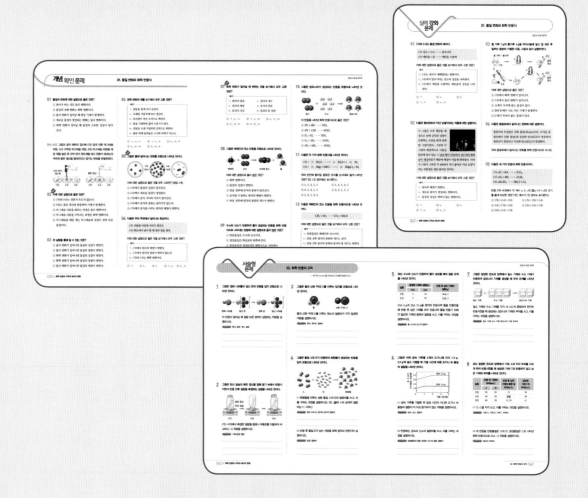

4 단계

최상위권 도전 문제 대단원 내의 학습 내용과 심화 내용을 응용하거나 융합한 문제로 구성하였다. 최상위권에 도전하기 위해 꼭 알아 두어야 할 수준 높은 문제를 풀어 보면서 진정한 과학 고수로 성장할 수 있다.

5 단계

창의·사고력 향상 문제 과학적 호기심을 충족시킬 수 있는 창의적인 문제, 과학적 사고력을 향상시킬 수 있는 문제로 구성하였다. 혼자서 문제를 해결하기 어려울 때에는 Tip과 Keyword를 참고할 수 있다.

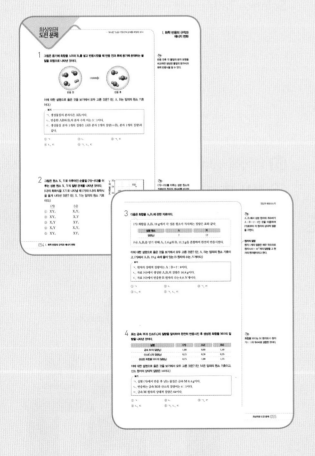

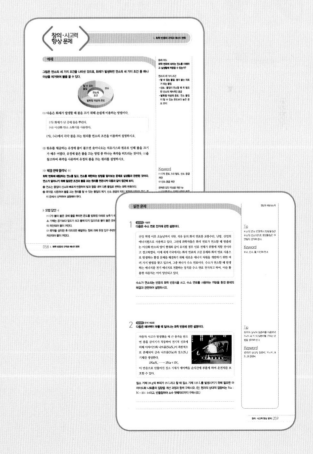

Contents
HIGH TOP의 차례 2권

V
생식과 유전

VI
에너지 전환과 보존

VII
별과 우주

VIII
과학기술과 인류 문명

부록

I. 화학 반응의 규칙과 에너지 변화 / II. 기권과 날씨 / III. 운동과 에너지 / IV. 자극과 반응은 **1권**에 있습니다.

HIGH TOP과 내 교과서 비교하기

활용 방법

❶ 내가 배우는 교과서의 출판사 이름을 찾는다.

❷ 출판사 이름에서 아래쪽으로 내려가면서 공부할 내용과 해당하는 쪽수를 찾는다.

❸ 찾은 쪽수에 해당하는 **HIGH TOP**은 몇 쪽인지 확인한다.

2권

대단원	중단원	HIGH TOP	동아출판	미래엔
V. 생식과 유전	01. 생장과 생식	012~033	169~186	174~189
	02. 유전의 원리	034~043	189~195	190~197
	03. 사람의 유전	044~063	196~204	198~203
VI. 에너지 전환과 보존	01. 역학적 에너지 전환과 보존	066~079	215~222	214~219
	02. 전기 에너지의 발생과 이용	080~105	225~238	220~235
VII. 별과 우주	01. 별	108~123	249~258	246~255
	02. 우주	124~145	261~272	256~271
VIII. 과학기술과 인류 문명	01. 과학기술과 인류 문명	148~155	282~295	282~295

비상교육	천재교육
162~171	181~199
176~181	203~212
182~189	213~221
198~203	231~236
208~217	239~245
226~233	255~263
238~247, 252~257	264~267, 271~277
266~275	286~295

HIGH TOP 중단원	HIGH TOP 학습 계획		
	학습 날짜	실천 결과	특이 사항
01. 생장과 생식	월 일		
02. 유전의 원리	월 일		
03. 사람의 유전	월 일		
01. 역학적 에너지 전환과 보존	월 일		
02. 전기 에너지의 발생과 이용	월 일		
01. 별	월 일		
02. 우주	월 일		
01. 과학기술과 인류 문명	월 일		

V

생식과 유전

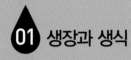
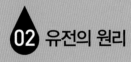
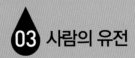

생물이 세포 분열을 통해 생장하고 생식세포를 만들어 자손을 만드는 과정을 알아보고, 사람의 수정과 발생 과정을 이해한다. 또, 멘델이 밝힌 유전의 기본 원리를 이해하고, 사람의 다양한 유전 현상을 알아보자.

01 생장과 생식

생물의 생장과 생식 과정에서는 세포 분열이 일어나는데, 체세포 분열과 생식세포 분열은 어떻게 진행되며 어떤 특징이 있는지 알아보자. 또, 사람의 난자와 정자가 결합하여 만들어진 수정란이 어떤 과정을 거쳐 하나의 개체가 되는지 알아보자.

① 세포 분열과 염색체

1. 세포 분열

(1) **세포 분열**: 세포 한 개가 두 개로 나누어지는 것이다. 분열 전의 세포를 모세포, 분열하여 생긴 두 개의 세포를 딸세포라고 한다.

(2) **세포 분열의 필요성**: 세포가 커지면 표면적이 증가하는 비율보다 부피가 증가하는 비율이 크기 때문에 세포막을 통한 물질 교환 효율이 낮아진다. → 세포는 부피가 어느 정도 커지면 분열하여 둘로 나누어진다. 탐구 020쪽

2. 염색체 과학 용어 사전 158쪽

(1) **염색체**: 유전 물질(DNA)과 단백질로 이루어져 있다. 세포가 분열하기 전에는 핵 속에 풀어진 실 모양의 구조물로 있다가 세포가 분열할 때 응축되어 막대 모양의 염색체가 된다.

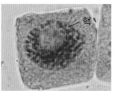

분열하지 않을 때의 세포

분열할 때의 세포

(2) **염색 분체**: 세포가 분열할 때 관찰되는 염색체는 두 가닥으로 이루어져 있는데, 각각의 가닥을 염색 분체라고 한다. 두 가닥의 염색 분체는 세포 분열 전에 DNA가 복제되어 형성되므로, 유전 정보가 동일하다.

(3) **염색체와 유전자의 관계**: 염색체는 DNA와 단백질로 구성되며, DNA에서 유전 정보를 저장하고 있는 부위를 유전자라고 한다.

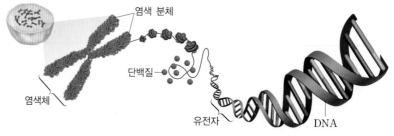

염색체의 구조

생장

다세포 생물이 세포 분열을 통해 세포 수를 늘려 성체가 되는 과정이다. 개는 강아지보다 더 많은 세포로 이루어져 있다.

용어 물질 교환

세포가 세포막을 통해 생명 활동에 필요한 물질을 흡수하고 세포 속의 노폐물을 내보내는 것을 물질 교환이라고 한다.

용어 DNA

대부분의 생물에서 유전 물질은 DNA이며, 2중 나선 구조를 하고 있다. DNA에는 생물을 형성하는 데 필요한 유전 정보가 들어 있다. 자동차를 만들 때 설계도에 담긴 정보에 따라 부품을 조립하듯이, DNA에 담긴 정보에 따라 생물의 구조가 만들어지고 특징이 결정된다.

3. 염색체의 종류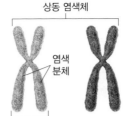

과학 용어 사전 158쪽

(1) **상동 염색체**: 생물의 몸을 구성하는 체세포에는 <mark>모양과 크기가 같은 염색체가 쌍으로 있는데, 이를 상동 염색체라고 한다.</mark> 상동 염색체는 부모로부터 각각 하나씩 물려받으므로, 상동 염색체에 들어 있는 유전 정보는 서로 다르다.

(2) **상염색체와 성염색체**: 성별에 관계없이 공통으로 갖는 염색체를 상염색체라 하고, 성별에 따라 구성이 달라 성별을 결정하는 염색체를 성염색체라고 한다.

상동 염색체와 염색 분체

자료⁺더하기 사람의 염색체 구성

① 사람의 체세포에는 상동 염색체가 쌍을 이루고 있으며, 염색체 수는 23쌍(46개)이다.

② 여자와 남자에게 공통적으로 있는 상염색체는 1~22번까지이며 22쌍(44개)이다.

③ 성염색체는 1쌍(2개)이다. 여자의 체세포에는 X 염색체가 2개 있고, 남자의 체세포에는 X 염색체와 Y 염색체가 하나씩 있다. → X 염색체는 여자와 남자에게 공통적으로 있는 성염색체이고, Y 염색체는 남자에게만 있는 성염색체이다.

④ 여자의 X 염색체는 부모에게서 하나씩 물려받은 것이고, 남자의 X 염색체는 어머니에게서, Y 염색체는 아버지에게서 물려받은 것이다.

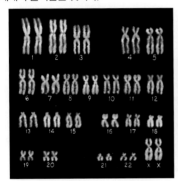

여자의 염색체 구성 44+XX

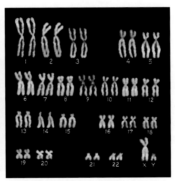

남자의 염색체 구성 44+XY

여러 가지 생물의 염색체 수(개)

사람	46	초파리	8
개	78	벼	24
고양이	38	완두	14
침팬지	48	감자	48

- 생물의 종류에 따라 염색체 수가 다르며, 염색체 수가 많다고 더 진화한 생물은 아니다.
- 침팬지와 감자는 염색체 수가 48개로 같지만, 염색체의 모양과 크기는 다르다.

염색체 구성의 표현

일반적으로 세포의 염색체 구성을 나타낼 때 n, $2n$과 같이 표현하는데, 이를 핵상이라고 한다. 아버지와 어머니 중 한쪽에서 받는 염색체들을 n으로 표현하고, 부모 양쪽에게서 염색체를 물려받아 상동 염색체가 쌍을 이루면 $2n$으로 표현한다. 사람은 아버지와 어머니로부터 각각 23개의 염색체를 물려받아 체세포의 핵상과 염색체 수는 $2n=46$이다.

학습 내용 Check

정답과 해설 061 쪽

1. 생물의 생장은 몸을 구성하는 _____의 수가 증가하며 일어난다.

2. 세포 분열 전의 세포는 _____, 분열하여 만들어진 2개의 세포는 _____라고 한다.

3. 세포는 크기가 (작을, 클)수록 세포막을 통한 물질 교환이 효율적으로 일어난다.

4. 핵 속에 실처럼 풀어져 있다가 세포가 분열할 때 응축되어 나타나는 막대 모양의 구조물로 유전 물질이 들어 있는 것을 _____라고 한다.

5. 하나의 염색체는 유전 정보가 같은 두 가닥의 _____로 구성된다.

6. 체세포에 있는 모양과 크기가 같은 염색체를 _____라고 한다.

7. 사람의 염색체는 총 _____개이며, 이 중 상염색체는 _____개, 성염색체는 _____ 개이다.

2 체세포 분열

1. 세포 주기 분열을 끝낸 세포가 자라서 다시 분열을 마치기까지의 과정을 세포 주기라고 한다. 세포 주기는 간기와 분열기로 구분된다. 과학 용어 사전 158쪽

(1) **간기:** 간기는 세포가 생장하고 생명 활동이 활발하게 일어나며, 핵 속의 유전 물질이 복제되어 다음 분열을 준비하는 시기이다. 일반적으로 분열기에 비해 시간이 길어 세포 주기의 대부분을 차지한다. 핵이 뚜렷하게 보이고, 염색체는 관찰되지 않는다.

(2) **분열기:** 세포 분열이 일어나는 시기이다. 핵이 둘로 나누어지는 핵분열이 먼저 일어나고, 핵분열 말기에 세포질이 둘로 나누어지는 세포질 분열이 일어난다.

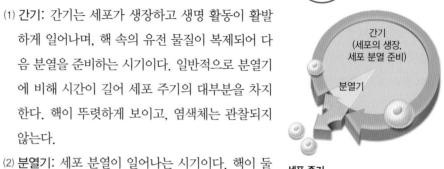

세포 주기

2. 체세포 분열 생물의 몸을 구성하는 체세포 하나가 둘로 나누어지는 것이다.

3. 체세포 분열 과정 탐구 021쪽

(1) **핵분열:** 핵분열은 연속적으로 진행되지만 염색체의 모양과 행동에 따라 전기, 중기, 후기, 말기의 네 단계로 구분한다.

간기	분열기				
	핵분열				세포질 분열
	전기	중기	후기	말기	
• 핵막이 뚜렷하게 관찰된다. • 유전 물질이 복제되어 그 양이 2배로 증가하고, 세포의 크기가 커진다.	• 핵막이 사라지고, 방추사가 형성된다. • 두 가닥의 염색 분체로 이루어진 염색체가 응축되어 나타난다.	• 염색체가 세포 가운데에 배열되어 염색체를 관찰하기 가장 좋은 시기이다. • 방추사가 염색체에 붙어 있다.	• 방추사에 의해 두 가닥의 염색 분체가 분리되어 각각 세포의 양쪽 끝으로 이동한다.	• 응축되어 있던 염색체가 풀어진다. • 핵막이 다시 나타나 2개의 핵이 만들어진다.	• 세포질이 분열되어 두 개의 딸세포가 만들어진다. • 동물 세포와 식물 세포에서 일어나는 방식에 차이가 있다.

핵막 / 모세포

염색체

방추사

핵막 / 딸세포

(2) **세포질 분열**: 핵분열 말기에 일어나며, 세포질 분열이 끝나면 두 개의 딸세포가 만들어진다. 동물 세포와 식물 세포는 세포질 분열이 일어나는 방식에 차이가 있다.

　① **동물 세포**: 세포의 중앙 부근에서 세포질이 바깥쪽에서 안쪽으로 들어가면서(세포질 함입) 세포질이 나누어진다.

　② **식물 세포**: 새로운 2개의 핵 사이에 세포판이 형성되어 바깥쪽으로 성장하면서 세포질이 나누어진다.

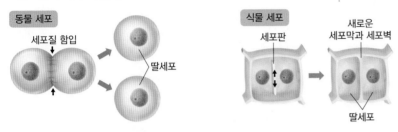

동물 세포와 식물 세포의 세포질 분열 과정

4. 체세포 분열의 의의　체세포 분열 결과 모세포와 똑같은 염색체 수와 유전 정보를 가진 두 개의 딸세포가 만들어진다.

(1) **생장**: 다세포 생물은 체세포 분열을 통해 체세포의 수를 늘려 생장한다.

(2) **재생**: 다세포 생물은 체세포 분열을 통해 상처 난 부위의 세포를 새로 만들거나 수명을 다하고 없어지는 세포를 보충한다.

(3) **번식**: 하나의 세포로 구성된 단세포 생물은 체세포 분열로 생긴 딸세포가 새로운 개체가 된다.

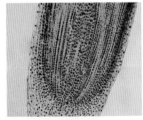

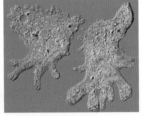

식물 조직의 생장　　　　**도마뱀 꼬리의 재생**　　　　**아메바의 번식(분열법)**

정답과 해설 061쪽

학습 내용 Check

1. 세포 분열을 끝낸 세포가 자라서 다시 분열을 마치기까지의 과정을 _____라고 한다.

2. 세포 주기 중 핵 속의 DNA가 복제되는 시기는 _____이다.

3. 핵분열의 전기에는 _____이 사라지고, 두 가닥의 염색 분체로 이루어진 _____가 나타난다.

4. 핵분열의 _____에는 염색체가 세포 가운데에 배열되고, _____에는 염색 분체가 분리되어 세포의 양쪽 끝으로 이동한다.

5. 식물 세포는 두 핵 사이에 _____이 만들어지면서 세포질이 분리된다.

6. 체세포 분열 결과 생긴 딸세포의 염색체 수와 유전 정보는 모세포와 (같다, 다르다).

체세포 분열과 핵상의 변화
체세포 분열에서는 복제되어 만들어진 2개의 염색 분체가 분리되어 2개의 딸세포로 나뉘어 들어가므로 딸세포의 염색체 수는 모세포와 같다. 체세포의 핵상은 $2n$이므로, 체세포 분열로 생성된 2개의 딸세포의 핵상도 $2n$으로 모세포와 같다($2n \rightarrow 2n$).

분열법
하나의 세포로 이루어진 단세포 생물이 두 개의 세포로 분열하여 각각의 세포가 새로운 개체가 되는 생식 방법이다. 분열법으로 번식하는 생물로는 세균, 아메바, 짚신벌레 등이 있다.

용어 **2가 염색체**

과학 용어 사전 159쪽

2가 염색체는 상동 염색체가 접합하여 만들어진다. 각 염색체가 2개의 염색 분체로 이루어져 있으므로, 2가 염색체는 4개의 염색 분체로 이루어져 있다.

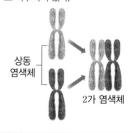

상동 염색체

2가 염색체

③ 생식세포 분열

1. 생식세포 분열 동물의 정자, 난자와 같은 생식세포가 만들어질 때 일어나는 세포 분열을 생식세포 분열이라고 한다. (과학 용어 사전 158쪽)

2. 생식세포 분열 과정

생식세포 분열은 체세포 분열과 달리 모세포가 연속해서 두 번 분열하여 염색체 수가 반으로 줄어든 4개의 딸세포를 형성한다. 염색체 수가 반으로 줄어들기 때문에 생식세포 분열을 감수 분열이라고 하며 첫 번째 분열을 감수 1분열, 두 번째 분열을 감수 2분열이라고 한다.

⑴ 감수 1분열: 상동 염색체가 분리되어 각각의 딸세포로 들어가기 때문에 감수 1분열을 마친 딸세포의 염색체 수는 모세포의 절반이 된다.

간기	감수 1분열			
	전기	중기	후기	말기
• 핵막이 뚜렷하게 관찰된다. • 유전 물질이 복제되어 그 양이 2배로 증가하고, 세포의 크기가 커진다.	• 핵막이 사라지고 염색체가 응축되어 나타난다. • 상동 염색체가 접합하여 2가 염색체를 형성한다.	• 2가 염색체가 세포 가운데에 배열된다. • 방추사가 염색체에 붙어 있다.	• 방추사에 의해 상동 염색체가 분리되어 세포의 양쪽 끝으로 이동한다.	• 핵막이 나타나고 세포질이 나누어져 염색체 수가 절반으로 줄어든 2개의 딸세포가 형성된다.

모세포 / 핵막 / 2가 염색체 / 방추사 / 상동 염색체 / 딸세포

⑵ 감수 2분열: 감수 1분열이 끝나고 간기 없이 바로 시작되며, 염색 분체가 분리되어 각각의 딸세포로 들어가기 때문에 감수 2분열 전과 후의 염색체 수는 변하지 않는다.

감수 2분열			
전기	중기	후기	말기
• 유전 물질의 복제 없이 바로 감수 2분열 전기가 시작된다. • 핵막이 사라지고 두 가닥의 염색 분체로 이루어진 염색체가 있다.	• 염색체가 세포의 가운데에 배열된다. • 방추사가 염색체에 붙어 있다.	• 방추사에 의해 두 가닥의 염색 분체가 분리되어 각각 세포의 양쪽 끝으로 이동한다.	• 핵막이 나타나고 염색체가 풀어진다. • 세포질이 나누어져 4개의 딸세포가 형성된다.

방추사 / 염색 분체 / 딸세포

① 백합의 어린 꽃봉오리에서 꽃밥을 떼어 에탄올과 아세트산을 3:1의
비율로 섞은 용액에 하루 정도 담가 둔다.

② 핀셋으로 꽃밥을 터뜨려 속에 있는 물질을 꺼낸다.

③ 아세트산 카민 용액을 1~2방울 떨어뜨리고 해부 침으로 잘게 찢은
다음, 덮개유리를 덮는다.

④ 덮개유리 위에 거름종이를 대고 지그시 눌러 준 후 현미경으로 관찰한다.

꽃밥

감수 1분열				감수 2분열			
전기	중기	후기	말기	전기	중기	후기	말기

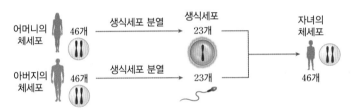

3. 생식세포 분열의 의의

(1) 생식세포 분열 결과 형성된 생식세포의 염색체 수는 체세포의 절반이기 때문에 세
대를 거듭하여도 각 개체의 체세포에 들어 있는 염색체 수가 일정하게 유지된다.

어머니의 체세포　46개　→ 생식세포 분열 → 생식세포 23개
아버지의 체세포　46개　→ 생식세포 분열 → 23개
자녀의 체세포　46개

(2) 감수 1분열 중기에 상동 염색체 쌍이 무작위로 배열되었다가 분리되므로 유전적으
로 다양한 생식세포를 형성한다.

4. 체세포 분열과 생식세포 분열의 비교　집중분석 022쪽

구분	체세포 분열	생식세포 분열
분열 횟수	1회	연속 2회
딸세포 수	2개	4개
2가 염색체 형성	형성되지 않는다.	감수 1분열에 형성된다.
염색체 수 변화	변화 없다($2n \rightarrow 2n$).	반으로 줄어든다($2n \rightarrow n$).
딸세포의 유전자 구성	모세포와 같다.	모세포와 다르며, 유전자 구성이 다양하다.

염색체 분리와 염색체 수 변화
• 염색 분체 분리: 염색체 수에 변화가 없다.
• 상동 염색체 분리: 염색체 수가 반으로 줄어든다.

체세포 분열과 생식세포 분열의 염색체 분리 비교
• 체세포 분열: 염색 분체 분리

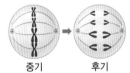
중기 → 후기

• 감수 1분열: 상동 염색체 분리

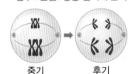
중기 → 후기

• 감수 2분열: 염색 분체 분리

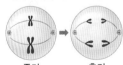
중기 → 후기

학습 내용 Check

정답과 해설 061 쪽

1. 감수 1분열 전기에는 _____ 염색체가 접합하여 _____ 염색체를 형성한다.

2. 감수 1분열에는 _____가 분리되고, 감수 2분열에는 _____가 분리된다.

3. 생식세포 분열에서는 세포 분열이 연속적으로 _____회 일어나 염색체 수가 모세포의
_____인 딸세포가 형성된다.

4. 체세포 분열에서는 (2, 4)개의 딸세포, 생식세포 분열에서는 (2, 4)개의 딸세포가 만들어진다.

④ 사람의 수정과 발생

1. 생식 기관
사람의 생식 기관의 구조는 성별에 따라 차이가 있다.

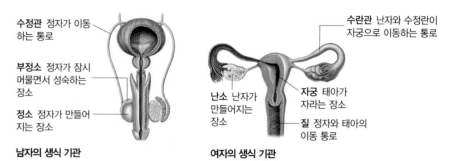

남자의 생식 기관 · **수정관** 정자가 이동하는 통로 · **부정소** 정자가 잠시 머물면서 성숙하는 장소 · **정소** 정자가 만들어지는 장소

여자의 생식 기관 · **수란관** 난자와 수정란이 자궁으로 이동하는 통로 · **난소** 난자가 만들어지는 장소 · **자궁** 태아가 자라는 장소 · **질** 정자와 태아의 이동 통로

2. 생식세포

(1) **정자**: 머리와 꼬리로 구분된다. 머리에는 유전 물질이 들어 있는 핵이 있고, 꼬리는 운동 기관이다. 정자는 꼬리를 이용해 스스로 움직일 수 있다.

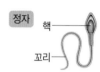
정자 · 핵 · 꼬리

(2) **난자**: 유전 물질이 들어 있는 핵이 있고, <u>발생에 필요한 많은 양의 양분이 세포질에 저장되어 있다.</u> – 난자는 스스로 움직이지 못한다.

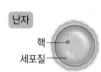
난자 · 핵 · 세포질

3. 수정과 발생

(1) **수정**: 배란된 난자가 정자와 만나 결합하는 것이다. – 수정된 세포를 수정란이라고 한다.

(2) **난할**: 수정란은 초기에 빠르게 세포 분열을 하여 세포 수를 늘리는데, 이와 같은 <u>수정란의 초기 세포 분열을 난할</u>이라고 한다.

(3) **착상**: 수정란은 난할을 거듭하여 세포 수를 늘리며 자궁으로 이동하고, <u>수정 후 약 일주일이 지나면 포배 상태로 자궁 안쪽 벽에 파묻힌다.</u> 이러한 현상을 착상이라고 하며, 이때에 임신되었다고 한다.

(4) **발생**: 착상된 이후 체세포 분열을 반복하여 여러 조직이나 기관이 형성되고 개체가 되는데, <u>수정란이 하나의 개체로 되기까지의 과정을 발생</u>이라고 한다.

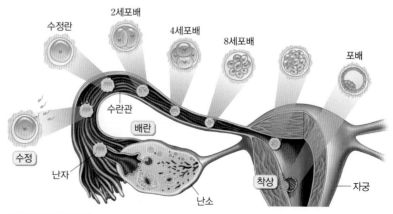

수정란 · 2세포배 · 4세포배 · 8세포배 · 포배 · 수란관 · 배란 · 수정 · 난자 · 난소 · 착상 · 자궁

사람의 초기 발생 과정

그림은 난할 과정을 모형으로 나타낸 것이다. 모형을 활용하여 난할의 특징을 정리한다.

수정란   2세포배   4세포배   8세포배   포배

① 난할은 체세포 분열이므로 세포 한 개의 염색체 수는 변하지 않는다.

② 난할이 일어날 때는 세포의 크기가 커지지 않고 빠르게 분열만 반복된다. 따라서 난할이 진행되면 세포 수는 많아지고 세포 하나의 크기는 점점 작아진다.

구분	수정란	2세포배	4세포배	8세포배
세포 수	1	2	4	8
세포 하나의 상대적인 크기	1	$\frac{1}{2}$	$\frac{1}{4}$	$\frac{1}{8}$
세포 하나의 염색체 수	46개	46개	46개	46개

③ 배아 전체의 크기는 '세포 수 × 세포의 크기'로 나타낼 수 있으므로 난할이 진행되어도 배아 전체의 크기는 수정란과 비슷하게 유지된다.

용어 배아(배)
정자와 난자가 수정된 후 사람의 형태를 갖추기 전까지의 세포 덩어리이다.

4. 태아의 발생

(1) 태아: 대부분의 기관이 만들어지고 사람의 모습을 갖추게 되는 수정 후 8주 이후를 태아라고 한다.

(2) 태아의 발생: 착상 이후 태아와 모체를 연결하는 태반이 만들어지며, 태아는 태반을 통해 모체와 물질 교환을 한다. 태아는 모체의 자궁에서 보호를 받으며 자란다.

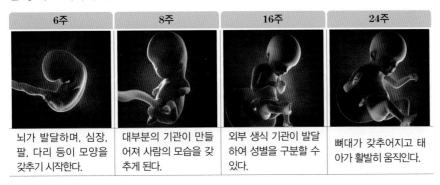

6주	8주	16주	24주
뇌가 발달하며, 심장, 팔, 다리 등이 모양을 갖추기 시작한다.	대부분의 기관이 만들어져 사람의 모습을 갖추게 된다.	외부 생식 기관이 발달하여 성별을 구분할 수 있다.	뼈대가 갖추어지고 태아가 활발히 움직인다.

태반을 통한 물질 교환
태아는 모체로부터 영양소와 산소를 공급받고, 노폐물과 이산화 탄소를 모체로 내보낸다.

출산 예정일
출산은 수정 후 약 266일(38주)이 지나면 일어나는데, 정확한 수정 날짜를 알기 어려우므로 266일에 14일을 더하여 임신 전 마지막 월경 시작일로부터 약 280일 후를 출산 예정일로 계산한다.

5. 출산 수정 후 약 266일(38주)이 지나면 태아는 질을 통해 모체 밖으로 나오는데, 이를 출산이라고 한다.

학습 내용 Check

정답과 해설 061 쪽

1. 사람의 생식세포인 정자는 _____에서, 난자는 _____에서 만들어진다.

2. 수정란이 난할을 거듭할수록 세포의 수는 (많아, 적어)지고, 각 세포의 크기는 (커, 작아)진다.

3. 수정란이 속이 빈 공 모양의 _____가 되어 자궁 내막에 붙는 현상을 _____이라고 한다.

4. 수정 후 약 _____일이 지나면 태아가 모체 밖으로 나오는 _____이 일어난다.

탐구 세포의 표면적과 부피 사이의 관계 알아보기

세포의 표면적과 부피에 따른 물질 이동의 효율을 알아보고 이를 바탕으로 세포 분열의 필요성을 설명할 수 있다.

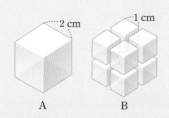

❶ 한 변이 2 cm인 정육면체의 우무 조각 두 개를 준비하여 A는 그대로 두고, B는 한 변이 1 cm가 되도록 8등분 한다.

❷ A와 B를 각각 비커에 넣고 식용 색소 용액을 부어 10분 정도 둔다.

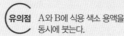

유의점 A와 B에 식용 색소 용액을 동시에 붓는다.

❸ 우무 조각을 꺼내 증류수로 씻고 각 우무 조각의 가운데를 잘라 단면을 관찰한다.

1. A와 B의 총 부피와 표면적은 다음과 같다.

우무 조각	A	B
부피(cm³)	8	8
표면적(cm²)	24	48

> **Tip**
> 정육면체의 부피는 (한 변의 길이)³,
> 표면적은 (한 변의 길이)²×6이다.

2. B의 한 조각은 중심까지 색소로 물들었지만, A의 한 조각은 중심까지 물들지 않았다. 우무 조각이 클수록 표면적이 커지는 비율이 부피가 커지는 비율보다 작기 때문에 중심까지 물질이 이동하기 어렵다.

3. 우무 조각을 세포라 하고, 식용 색소가 세포에 필요한 영양소라고 가정할 때 세포의 크기가 커지는 것보다 세포 분열을 통해 세포의 수를 늘려 생장하는 것이 물질 교환에 효율적이다.

탐구 확인 문제

정답과 해설 061쪽

1 위 탐구에 대한 설명으로 옳은 것은 ○, 옳지 않은 것은 ×로 표시하시오.

(1) 과정 ❶에서 우무 조각의 전체 부피는 A가 B의 2배이다. ……………………………… (　　)

(2) 과정 ❶에서 우무 조각의 전체 표면적은 B가 A의 2배이다. ……………………………… (　　)

(3) 과정 ❷에서 식용 색소 용액은 우무 조각이 모두 잠길 정도로 넣는다. ……………………………… (　　)

(4) 과정 ❸에서 우무 조각의 크기가 클수록 식용 색소가 중심까지 물든다. ……………………………… (　　)

(5) 과정 ❸에서 A와 B의 우무 조각 전체로 스며든 식용 색소의 양은 같다. ……………………………… (　　)

2 그림은 한 변의 길이가 1 cm, 2 cm인 정육면체이고, 표는 두 정육면체를 비교한 것이다.

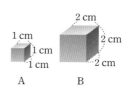

정육면체	A	B
표면적(cm²)	6	㉠
부피(cm³)	1	㉡
표면적(cm²)／부피(cm³)	6	㉢

(1) ㉠~㉢을 쓰시오.

_____

(2) 정육면체가 세포라고 할 때 물질 교환의 효율이 더 높은 것은 A와 B 중 어떤 것인지 근거를 들어 설명하시오.

_____

탐구 체세포 분열 관찰하기

체세포 분열을 관찰하고 각 단계의 특징을 염색체의 행동 변화로 설명할 수 있다.

과정 및 결과

에탄올과 아세트산을 섞은 용액

❶ 양파 뿌리 조각을 에탄올과 아세트산을 3:1로 섞은 용액에 하루 정도 담가 둔다. → 고정 – 세포를 살아 있을 때의 모습으로 유지하기 위한 과정

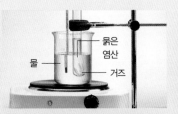

물 / 묽은 염산 / 거즈

❷ 뿌리 조각을 거즈로 싸서 묽은 염산에 넣고 55 ℃∼60 ℃의 온도에서 5∼10분 동안 물 중탕한 후 꺼내어 증류수로 씻는다. → 해리 – 조직을 연하게 하기 위한 과정

아세트산 카민 용액

❸ 뿌리 끝을 2 mm 정도 잘라 받침유리에 놓고 아세트산 카민 용액을 한 방울 떨어뜨린다. → 염색 – 핵과 염색체를 붉게 염색하기 위한 과정

해부 침

❹ 뿌리 끝을 해부 침으로 잘게 찢은 후 덮개유리를 덮는다. → 분리 ⌐ 세포를 서로 떼어내기 위한 과정

거름종이

❺ 거름종이를 올려놓고 엄지손가락으로 지그시 누른다. → 압착 ⌐ 세포를 얇게 펴기 위한 과정

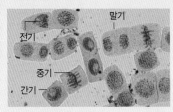

말기 / 전기 / 중기 / 간기

❻ 현미경으로 관찰한다. → 저배율부터 고배율 순으로 관찰한다.

결과 해석 및 정리

1. 양파 뿌리 끝에는 체세포 분열이 활발하게 일어나는 생장점이 있어 체세포 분열 중인 세포들을 관찰할 수 있다.

2. 둥근 핵이 보이는 간기의 세포가 가장 많이 관찰되는데, 이는 간기에 소요되는 시간이 가장 길기 때문이다.

3. 막대 모양의 염색체가 보이는 세포들은 분열기의 세포이다. 분열기의 세포는 염색체의 행동에 따라 전기, 중기, 후기, 말기로 구분된다.

탐구 확인 문제

정답과 해설 062쪽

1 위 탐구에 대한 설명으로 옳은 것은 ○, 옳지 <u>않은</u> 것은 ×로 표시하시오.

(1) 과정 ❶은 세포를 살아 있을 때의 모습으로 유지하기 위한 것이다. ……………………………… (   )

(2) 과정 ❷에서 세포 분열이 촉진된다. ………… (   )

(3) 과정 ❸에서 핵과 염색체가 붉은색으로 염색된다.
………………………………………… (   )

(4) 과정 ❹는 세포벽을 부드럽게 하기 위한 것이다.
………………………………………… (   )

(5) 과정 ❺는 세포를 한 층으로 얇게 펴기 위한 것이다.
………………………………………… (   )

2 (적용) 그림 (가)와 (나)는 양파 뿌리를 재료로 체세포 분열을 관찰하는 실험 과정 중의 일부이다.

물 / 묽은 염산 / 뿌리를 싼 거즈 / 아세트산 카민 용액

(가)   (나)

(가)와 (나)를 생략할 경우 각각 어떤 문제점이 생길지 설명하시오.

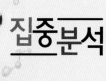

집중분석 (체세포 분열과 생식세포 분열 비교

체세포 분열과 생식세포 분열은 분열 전 간기에 유전 물질(DNA)이 복제되고, 분열기에 염색체가 응축된다는 공통점이 있지만, 여러 가지 차이점이 있다. 체세포 분열과 생식세포 분열 과정을 비교해 보자.

1 그림으로 비교하기

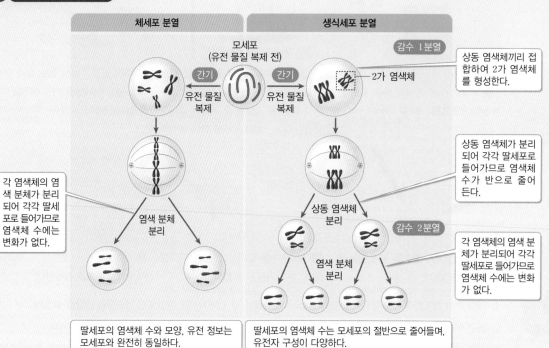

체세포 분열	생식세포 분열

모세포 (유전 물질 복제 전)

간기 유전 물질 복제 / **간기** 유전 물질 복제

감수 1분열 — 2가 염색체

상동 염색체끼리 접합하여 2가 염색체를 형성한다.

각 염색체의 염색 분체가 분리되어 각각 딸세포로 들어가므로 염색체 수에는 변화가 없다.

염색 분체 분리

상동 염색체 분리

상동 염색체가 분리되어 각각 딸세포로 들어가므로 염색체 수가 반으로 줄어든다.

감수 2분열 / 염색 분체 분리

각 염색체의 염색 분체가 분리되어 각각 딸세포로 들어가므로 염색체 수에는 변화가 없다.

딸세포의 염색체 수와 모양, 유전 정보는 모세포와 완전히 동일하다.

딸세포의 염색체 수는 모세포의 절반으로 줄어들며, 유전자 구성이 다양하다.

2 표로 정리하여 비교하기

구분	체세포 분열	생식세포 분열
분열 횟수	1회	연속 2회
딸세포 수	2개	4개
2가 염색체의 형성	형성되지 않는다. (상동 염색체가 접합하지 않는다.)	형성된다. (감수 1분열 전기에 상동 염색체가 접합한다.)
딸세포의 유전자 구성	모세포와 같다.	모세포와 다르며, 다양하게 나타난다.
염색체 수 변화	변화 없다.	절반으로 줄어든다.
분열 결과	생장, 재생, 단세포 생물의 생식	생식세포 형성
분열 장소	동물: 몸 전체 식물: 생장점과 형성층	동물: 정소, 난소 식물: 꽃밥, 밑씨

심화

체세포 분열과 생식세포 분열 시 DNA양 변화

세포 분열에서 나타나는 염색체의 행동에 따라 세포의 유전 물질의 양이 어떻게 변화하며, 자손의 유전적 다양성에 어떤 영향을 주는지 알아보자.

❶ 체세포 분열 시 DNA양 변화

• 간기에 DNA가 복제되어 DNA양이 2배로 증가한다.
• 분열이 1회 일어나 2배로 증가했던 DNA양이 반으로 줄어든다.
• 체세포 분열 시 핵 1개당 DNA 상대량은 2 → 4 → 2로 변하므로, 딸세포 한 개의 DNA양은 DNA가 복제되기 전 모세포의 DNA양과 같다.
• DNA에는 유전자가 배열되어 있으므로, 딸세포의 염색체 수와 모양, DNA양이 모세포와 같다는 것은 딸세포의 유전자 구성이 모세포와 같다는 것을 의미한다. 즉, 딸세포는 유전적으로 모세포와 같다.

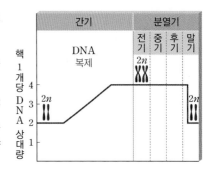

❷ 생식세포 분열 시 DNA양 변화

• 간기에 DNA가 복제되어 DNA양이 2배로 증가한다.
• 분열이 2회 일어나 2배로 증가했던 DNA양이 연속 두 번 반으로 줄어든다.
• 생식세포 분열 시 핵 1개당 DNA 상대량은 2 → 4 → 2 → 1로 변하므로, 딸세포 한 개의 DNA양은 DNA가 복제되기 전 모세포 DNA양의 절반으로 줄어든다.

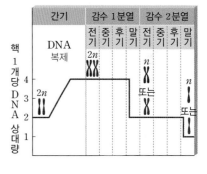

• 감수 1분열과 감수 2분열에서의 염색체 수와 DNA양의 변화는 다음과 같다.

구분	감수 1분열	감수 2분열
염색체 분리	상동 염색체 분리	염색 분체 분리
염색체 수 변화	반으로 감소	변화 없음
DNA양 변화	반으로 감소	반으로 감소

→ 감수 1분열에서는 염색체 수와 DNA양이 모두 반으로 줄어들고, 감수 2분열에서는 염색체 수는 변하지 않지만 DNA양은 반으로 줄어든다.
• 딸세포의 염색체 수와 DNA양은 모세포의 절반이 되며, 감수 1분열에 부계와 모계의 상동 염색체 중 어느 쪽의 염색체를 가지게 되는가에 따라 생식세포의 유전자 구성이 달라질 수 있다.

난할의 특징

사람의 발생은 여자의 수란관에서 정자와 난자가 만나 수정란을 형성한 후부터 시작된다. 수정란은 난할을 하면서 자궁으로 이동하여 착상하고, 태반이 형성되어 태아로 발생한다. 난할은 수정란에서 초기에 일어나는 세포 분열인데, 난할이 일반적인 체세포 분열과는 어떻게 다른지 알아보자.

1 세포 주기와 난할

세포 주기는 분열을 마친 세포가 생장하여 다시 분열을 마칠 때까지의 과정으로, 간기와 분열기(M기)로 구분한다. 간기는 세포의 생장이 일어나는 시기이며, G_1기, S기, G_2기로 구분한다. G_1기는 단백질을 비롯한 여러 가지 세포 구성 물질이 합성되고, 세포 소기관의 수가 증가하면서 세포가 빠르게 생장하는 시기이다. S기는 DNA가 복제되는 시기이고, G_2기는 방추사를 구성하는 단백질을 합성하며 분열을 준비하는 시기이다.

일반적인 사람의 체세포는 그림 (가)와 같이 세포 주기의 90 % 이상이 간기이고, 그중에서 G_1기와 S기가 길다. 그런데 수정란의 난할 과정에는 그림 (나)와 같이 G_1기와 G_2기가 거의 없어 세포가 생장할 시간이 없이 S기에 DNA가 복제된 후 바로 분열기(M기)를 거치는 과정이 반복된다.

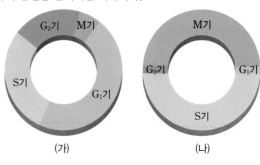

(가)   (나)

2 난할의 특징

난할은 DNA를 복제한 후 염색 분체가 분리되는 분열이므로 체세포 분열의 일종이다. 따라서 난할이 거듭되더라도 세포 한 개의 염색체 수와 DNA양은 변하지 않는다. 그러나 분열 후 세포가 생장하는 시기가 거의 없으므로 분열 속도가 매우 빠르고, 난할이 거듭될수록 세포의 수는 증가하지만 세포 한 개의 크기는 점점 작아진다.

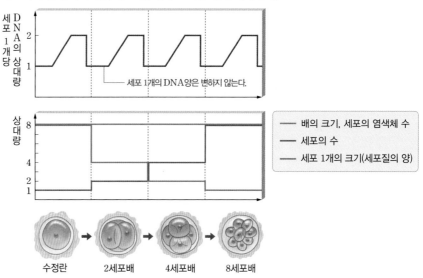

세포 1개의 DNA양은 변하지 않는다.

— 배의 크기, 세포의 염색체 수
— 세포의 수
— 세포 1개의 크기(세포질의 양)

수정란   2세포배   4세포배   8세포배

중단원 핵심 정리

① 세포 분열과 염색체

① **세포 분열의 필요성**: 생물이 생장할 때 세포의 크기가 커지는 것보다 세포 분열로 세포의 수가 증가하는 것이 **물질 교환에 효율**적이다.

② **염색체**: 세포가 분열할 때 응축되어 짧고 굵은 막대 모양으로 나타나며, DNA와 단백질로 이루어져 있다.

③ **사람의 염색체 구성**
- 여자: 상염색체 44개 + **성염색체 XX**
- 남자: 상염색체 44개 + **성염색체 XY**

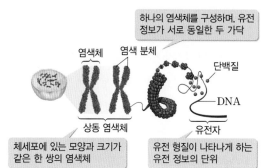

② 체세포 분열

① **체세포 분열**: 생물의 몸을 구성하는 체세포 하나가 둘로 나누어지는 것 → **염색체 수가 모세포와 같은 딸세포 2개**를 형성한다.

② **체세포 분열 과정**

③ **체세포 분열의 의의**: 다세포 생물의 **생장과 재생**, 단세포 생물의 **생식**

③ 생식세포 분열

① **생식세포 분열**: 생식세포가 만들어지는 과정 → **염색체 수가 모세포의 절반인 딸세포 4개**를 형성한다.

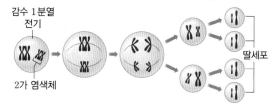

② **생식세포 분열의 의의**: 염색체 수가 반감된 생식세포가 만들어지므로, 세대를 거듭해도 **염색체 수가 일정**하게 유지된다.

④ 사람의 수정과 발생

① **수정**: 수란관 앞부분에서 난자와 정자가 결합한다.

② **난할**: **수정란의 초기 세포 분열**로, 수정란은 난할을 거듭하여 세포 수를 늘리며 자궁으로 이동한다.

③ **착상**: 수정 후 약 일주일 후 **포배** 상태로 **자궁** 안쪽 벽에 파묻힌다.

④ 착상 후 배아는 체세포 분열을 계속하여 조직과 기관을 만들고 태아로 자란다.

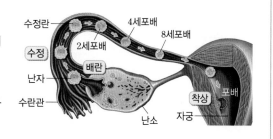

01 세포 분열에 대한 설명으로 옳은 것을 보기에서 모두 고른 것은?

보기
ㄱ. 하나의 세포가 둘로 나누어지는 것이다.
ㄴ. 세포의 크기가 커지면 $\frac{표면적}{부피}$ 값이 작아진다.
ㄷ. 다세포 생물은 세포 분열로 세포 수를 늘려 생장한다.

① ㄱ   ② ㄴ   ③ ㄱ, ㄷ
④ ㄴ, ㄷ   ⑤ ㄱ, ㄴ, ㄷ

02 다음은 우무를 이용한 실험과 그 결과이다.

(가) 한 변의 길이가 1 cm와 2 cm인 정육면체 모양의 두 우무 조각을 붉은 식용 색소 용액에 담가 두었다.
(나) 10분 정도 지난 후 우무 조각의 가운데 부분을 잘라 단면을 비교해 보았다.

 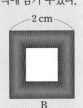

1 cm   2 cm
A   B

이에 대한 설명으로 옳은 것을 보기에서 모두 고른 것은?

보기
ㄱ. 우무 조각의 단면에서 색소가 이동한 거리는 A보다 B가 길다.
ㄴ. 우무를 세포로 가정할 때, 물질 교환의 효율은 B보다 A가 높다.
ㄷ. $\frac{표면적}{부피}$ 값은 B보다 A가 크다.

① ㄱ   ② ㄴ   ③ ㄱ, ㄷ
④ ㄴ, ㄷ   ⑤ ㄱ, ㄴ, ㄷ

[03~04] 그림은 염색체의 구조를 나타낸 것이다.

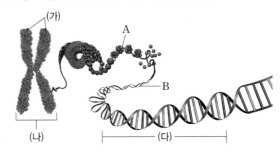

(가)
A
B
(나)
(다)

03 염색체를 구성하는 A와 B의 이름을 쓰시오.

04 (가)~(다)에 대한 설명으로 옳지 않은 것은?

① (가)는 상동 염색체이다.
② (나)는 염색체이다.
③ (나)는 분열하는 세포에서 관찰된다.
④ (다)에는 유전 정보가 저장되어 있다.
⑤ (다)는 (나)에 포함되어 있다.

05 오른쪽 그림은 어떤 생물의 체세포에 들어 있는 상동 염색체를 나타낸 것이다. 이에 대한 설명으로 옳은 것을 보기에서 모두 고른 것은?

(가)   (나)

보기
ㄱ. 간기의 세포를 관찰한 것이다.
ㄴ. (가)가 복제되어 (나)가 형성된다.
ㄷ. (가)를 어머니로부터 받았다면, (나)는 아버지로부터 받은 것이다.

① ㄱ   ② ㄷ   ③ ㄱ, ㄴ
④ ㄴ, ㄷ   ⑤ ㄱ, ㄴ, ㄷ

06 그림은 사람의 체세포에서 관찰한 염색체를 나타낸 것이다.

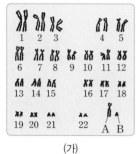

(가)   (나)

이에 대한 설명으로 옳지 <u>않은</u> 것은?

① 사람의 체세포에는 44개의 상염색체가 있다.

② (가)는 남자, (나)는 여자의 염색체 구성이다.

③ (가)에서 A는 아버지에게서, B는 어머니에게서 물려받은 것이다.

④ (나)에는 23쌍의 상동 염색체가 있다.

⑤ (나)의 성염색체 중 하나는 아버지에게서 물려받은 것이다.

07 그림은 세포 주기를 나타낸 것이다.

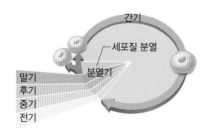

이에 대한 설명으로 옳은 것은?

① 간기에는 염색체가 관찰된다.

② 간기는 분열기에 비해 소요 시간이 짧다.

③ 유전 물질의 복제는 간기에 일어난다.

④ 세포질 분열이 일어난 후에 핵분열이 일어난다.

⑤ 분열기는 세포의 행동에 따라 전기, 중기, 후기, 말기로 구분한다.

[08~09] 그림은 체세포 분열 과정을 진행되는 순서에 관계없이 나타낸 것이다.

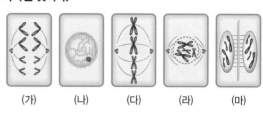

(가)   (나)   (다)   (라)   (마)

08 간기부터 체세포 분열이 진행되는 순서대로 기호를 나열하시오.

09 각 시기의 특징을 옳게 설명한 것은?

① (가) 상동 염색체가 분리된다.

② (나) 핵막이 사라지고 염색체가 나타난다.

③ (다) 염색체가 풀어진다.

④ (라) 유전 물질이 복제된다.

⑤ (마) 핵막이 다시 나타나고 세포질 분열이 일어난다.

10 그림은 식물 세포와 동물 세포의 세포질 분열을 순서 없이 나타낸 것이다.

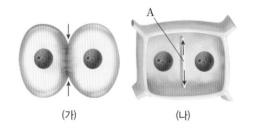

(가)   (나)

이에 대한 설명으로 옳은 것을 보기에서 모두 고른 것은?

> **보기**
> ㄱ. (가)는 세포질이 함입된다.
> ㄴ. A는 세포판이다.
> ㄷ. (가)는 동물 세포이고, (나)는 식물 세포이다.

① ㄱ   ② ㄴ   ③ ㄱ, ㄷ
④ ㄴ, ㄷ   ⑤ ㄱ, ㄴ, ㄷ

11 그림은 양파 뿌리에서 일어나는 체세포 분열을 관찰하는 과정을 순서 없이 나타낸 것이다.

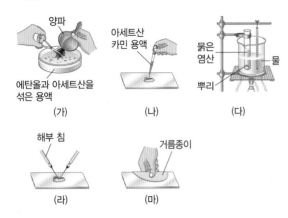

이에 대한 설명으로 옳은 것은?

① (가)는 세포를 살아 있을 때와 같은 모습으로 고정하는 과정이다.

② (나)에 의해 방추사가 붉게 염색된다.

③ (다)는 세포 분열을 촉진하는 과정이다.

④ (라)와 (마)에 의해 세포벽이 연하게 된다.

⑤ 실험은 (다) → (가) → (나) → (라) → (마)의 순으로 진행한다.

12 생식세포 분열에 대한 설명으로 옳은 것은?

① 감수 1분열 과정에서 염색 분체가 분리된다.

② 감수 1분열 전기에 2가 염색체가 나타난다.

③ 감수 1분열이 끝난 후 감수 2분열 전에 유전 물질의 복제가 일어난다.

④ 감수 2분열에서 상동 염색체가 분리된다.

⑤ 감수 2분열 과정에서 염색체의 수가 반으로 줄어든다.

[13~14] 그림은 어떤 동물의 수컷에서 일어나는 생식세포 분열 과정을 간단히 나타낸 것이다.

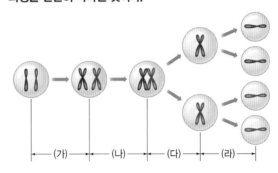

13 이와 같은 세포 분열이 일어나는 장소를 쓰시오.

_____

14 이에 대한 설명으로 옳은 것은?

① (가)에서 염색체 수가 2배로 증가한다.

② (나)에서 유전 물질의 양이 2배가 된다.

③ (다)에서 염색체 수가 반으로 줄어든다.

④ (라)에서 상동 염색체가 분리된다.

⑤ (라)에서 DNA양은 변화 없다.

15 체세포 분열과 생식세포 분열을 비교한 것으로 옳지 <u>않은</u> 것은?

구분	체세포 분열	생식세포 분열
① 분열 횟수	1회	2회
② 딸세포 수	2개	4개
③ 2가 염색체	나타나지 않음	나타남
④ 염색 분체 분리	일어남	일어남
⑤ 염색체 수	절반으로 감소	변화 없음

16 그림은 어떤 식물체에서 일어나는 두 종류의 세포 분열 과정을 간단히 나타낸 것이다.

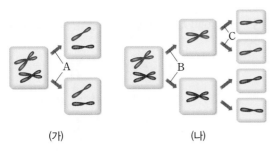

(가)   (나)

이에 대한 설명으로 옳지 <u>않은</u> 것은?

① (가)는 생장할 때 활발하게 일어난다.

② A 과정에서 염색 분체가 분리된다.

③ (나)는 뿌리 끝에서 활발하게 일어난다.

④ B 과정에서 2가 염색체가 나타난다.

⑤ C 과정의 결과 세포당 유전 물질의 양이 반으로 줄어든다.

[17~18] 오른쪽 그림은 어떤 생물의 체세포에 들어 있는 염색체를 나타낸 것이다.

ㄱ.   ㄴ.   ㄷ.   ㄹ.

17 체세포 분열을 거쳐 형성된 딸세포의 염색체 구성이 될 수 있는 것을 모두 골라 기호로 쓰시오.

_____

18 생식세포 분열을 거쳐 형성된 딸세포의 염색체 구성이 될 수 있는 것을 모두 골라 기호로 쓰시오.

_____

19 그림 (가)와 (나)는 사람의 생식세포를 나타낸 것이다.

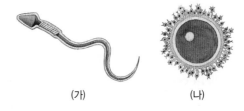

(가)   (나)

(가)와 (나)를 비교한 것으로 옳지 <u>않은</u> 것은?

① (가)는 (나)보다 양분이 적다.

② (가)는 (나)보다 세포질의 양이 적다.

③ (가)는 (나)보다 염색체의 수가 많다.

④ (가)는 정소에서, (나)는 난소에서 생성된다.

⑤ (가)는 운동성이 있고, (나)는 운동성이 없다.

20 그림은 수정란의 발생 초기에 세포 분열(난할)이 일어남에 따라 배의 모습이 변하는 과정을 나타낸 것이다.

수정란   2세포배   4세포배   8세포배

난할이 거듭되면서 나타나는 현상으로 옳지 <u>않은</u> 것은?

① 세포 한 개의 크기는 점점 작아진다.

② 세포 한 개의 세포질 양은 점점 감소한다.

③ 세포 한 개의 염색체 수가 점점 감소한다.

④ 배 전체의 크기는 거의 일정하게 유지된다.

⑤ 배를 구성하는 세포의 수가 점점 증가한다.

01 그림 (가)와 (나)는 한 변의 길이가 1 cm, 2 cm인 정육면체이고, (다)는 한 변의 길이가 2 cm인 정육면체를 한 변의 길이가 1 cm인 정육면체 8개가 되도록 자른 것이다.

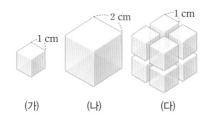

(가)   (나)   (다)

이에 대한 설명으로 옳은 것을 보기에서 모두 고른 것은?

┌─ 보기 ────────────────────────────────┐
ㄱ. 총 부피는 (가)<(나)=(다)이다.
ㄴ. $\dfrac{총\ 표면적}{총\ 부피}$의 값은 (가)=(다)>(나)이다.
ㄷ. 정육면체가 세포라고 하면, 세포에서의 물질 교환 효율은 (나)가 가장 크다.
└──────────────────────────────────────┘

① ㄷ   ② ㄱ, ㄴ   ③ ㄱ, ㄷ
④ ㄴ, ㄷ   ⑤ ㄱ, ㄴ, ㄷ

02 그림은 어떤 생물의 체세포에 있는 한 쌍의 상동 염색체를 나타낸 것이다.

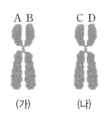

A B   C D

(가)   (나)

이에 대한 설명으로 옳은 것을 모두 고르면? (정답 2개)
① 염색체는 4개이다.
② A와 B는 복제되어 형성된다.
③ C와 D는 동일한 유전 정보를 갖고 있다.
④ 체세포 분열 시 (가)와 (나)는 접합하였다가 분리된다.
⑤ (가)와 (나)는 부모 중 어느 한쪽으로부터 모두 물려받은 것이다.

03 그림은 어떤 사람 체세포의 염색체 구성을 나타낸 것이다.

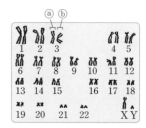

이에 대한 설명으로 옳은 것을 보기에서 모두 고른 것은?

┌─ 보기 ────────────────────────────────┐
ㄱ. ⓐ와 ⓑ는 복제되어 형성된 것이다.
ㄴ. 이 사람은 어머니에게서 X 염색체를, 아버지에게서 Y 염색체를 물려받았다.
ㄷ. 위에서 관찰되는 상염색체의 염색 분체 수는 88개이다.
└──────────────────────────────────────┘

① ㄱ   ② ㄴ   ③ ㄷ
④ ㄴ, ㄷ   ⑤ ㄱ, ㄴ, ㄷ

04 그림 (가)~(라)는 어떤 식물의 체세포 분열 과정 중에 있는 세포들을 나타낸 것이다.

(가)   (나)   (다)   (라)

이에 대한 설명으로 옳은 것을 보기에서 모두 고른 것은?

┌─ 보기 ────────────────────────────────┐
ㄱ. (가)에서 염색 분체가 분리되어 양끝으로 이동한다.
ㄴ. (나) 시기에 2가 염색체가 관찰된다.
ㄷ. 체세포 분열은 (라)→(나)→(다)→(가)의 순서로 일어난다.
└──────────────────────────────────────┘

① ㄱ   ② ㄴ   ③ ㄱ, ㄴ
④ ㄱ, ㄷ   ⑤ ㄴ, ㄷ

05 그림 (가)~(다)는 각각 어떤 동물의 수컷에서 일어나는 체세포 분열과 생식세포 분열 중 한 시기를 나타낸 것이다.

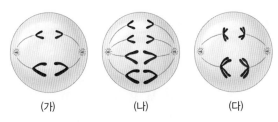

(가)　　　　　(나)　　　　　(다)

이에 대한 설명으로 옳은 것을 보기에서 모두 고른 것은?

보기
ㄱ. (가)는 정소에서 관찰된다.
ㄴ. (나)의 분열 결과 생긴 딸세포에는 상동 염색체가 있다.
ㄷ. (다)의 분열 결과 생긴 딸세포의 염색체 수는 모세포의 절반이다.

① ㄱ　　　　② ㄴ　　　　③ ㄷ
④ ㄴ, ㄷ　　　⑤ ㄱ, ㄴ, ㄷ

06 그림 (가)와 (나)는 어떤 식물에서 일어나는 두 종류의 세포 분열을 간단히 나타낸 것이다.

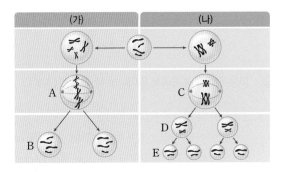

이에 대한 설명으로 옳은 것을 모두 고르면? (정답 2개)
① A에는 2가 염색체가 있다.
② A가 B로 될 때 상동 염색체가 분리된다.
③ C가 D로 될 때 염색체 수가 반으로 줄어든다.
④ C의 유전 물질의 양은 E의 4배이다.
⑤ (가)의 세포 분열은 꽃밥에서, (나)의 세포 분열은 뿌리 끝에서 관찰할 수 있다.

07 그림은 사람의 임신이 이루어지는 과정을 나타낸 것이다.

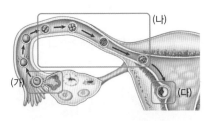

이에 대한 설명으로 옳은 것을 보기에서 모두 고른 것은?

보기
ㄱ. (가)의 난소에서 배출되는 세포의 염색체 수는 23개이다.
ㄴ. (나) 과정에서 DNA가 복제되지 않으므로 세포 분열이 빠르게 일어난다.
ㄷ. (다)가 일어날 때 배의 발생 단계는 포배이다.

① ㄱ　　　　　② ㄴ　　　　　③ ㄱ, ㄷ
④ ㄴ, ㄷ　　　⑤ ㄱ, ㄴ, ㄷ

08 그림 (가)~(다)는 수정란의 발생 초기에 일어나는 세포 분열 횟수에 따른 배의 크기, 세포 수, 세포 1개의 크기 변화를 순서없이 나타낸 것이다.

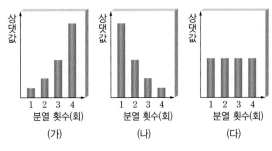

(가)~(다)를 옳게 짝 지은 것은?

	배의 크기	세포 수	세포 1개의 크기
①	(가)	(나)	(다)
②	(가)	(다)	(나)
③	(나)	(다)	(가)
④	(다)	(가)	(나)
⑤	(다)	(나)	(가)

☞ 제시된 Keyword를 이용하여 문제를 해결해 보자.

1 그림은 체세포 분열을 나타낸 것이다.

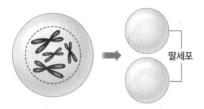
딸세포

(1) 세포는 크기가 어느 정도 이상 커지면 세포 분열을 하는데, 세포 분열을 하여 작은 세포로 나누어지는 것이 생명 활동에 더 효율적이다. 그 까닭을 표면적, 부피, 물질 교환의 측면에서 설명하시오.

Keyword 표면적, 부피, 물질 교환

_____

_____

(2) 세포 분열로 형성된 딸세포의 염색체 구성을 그리고, 그렇게 표현한 까닭을 설명하시오.

Keyword 체세포 분열, 염색 분체

_____

_____

2 그림은 양파의 뿌리 끝을 재료로 체세포 분열을 관찰하는 실험 과정의 일부를 나타낸 것이다.

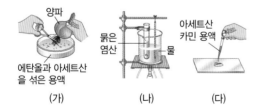
양파
묽은 염산
아세트산 카민 용액
에탄올과 아세트산을 섞은 용액
물
(가)　　　(나)　　　(다)

(가)~(다) 과정을 거치는 까닭을 각각 설명하시오.

Keyword 고정, 해리, 염색, 핵, 염색체

_____

_____

3 그림은 어떤 사람의 염색체 구성을 나타낸 것이다.

1	2	3		4	5
6	7	8	9	10	11	12
13	14	15		16	17	18
19	20	21	22		

이 사람의 성별을 쓰고, 그렇게 생각한 까닭을 설명하시오.

Keyword 성염색체

_____

_____

_____

4 다음은 생물의 몸에서 일어나는 몇 가지 현상이다.

- 상처 난 부위에 새살이 돋아난다.
- 갓 태어난 아기는 몸무게가 3.5 kg, 키는 50 cm 정도였지만, 1년 후 몸무게는 10 kg, 키는 76 cm 정도가 되었다.

이 현상들의 공통점은 무엇인지 설명하시오.

Keyword 재생, 생장, 체세포 분열

_____

_____

_____

5 그림은 체세포 분열 과정을 순서대로 나타낸 것이다.

간기　　(가)　　(나)　　(다)　　(라)

(가)~(라) 시기의 이름을 각각 쓰고, 각 시기의 특징을 핵막의 유무와 염색체의 행동을 중심으로 설명하시오.

Keyword 핵막, 염색체, 염색 분체

_____

_____

6 오른쪽 그림은 어떤 동물의 몸에서 일어나는 생식세포 분열 과정 중의 한 시기를 나타낸 것이다.

(1) 생식세포 분열 중 어느 시기에 해당하는지 쓰고, 그렇게 생각한 까닭을 설명하시오.

Keyword 감수 분열, 2가 염색체

_____

_____

(2) 감수 1분열과 감수 2분열의 차이점을 염색체의 분리, 세포당 염색체 수와 유전 물질(DNA) 양의 변화 측면에서 설명하시오.

Keyword 감수 분열, 상동 염색체, 염색 분체

_____

(3) 위 그림의 세포가 생식세포 분열을 완료하였을 때 형성될 수 있는 생식세포의 염색체 조합을 모두 그리시오.

○ ○ ○ ○

7 생식세포 분열의 의의를 염색체 수와 유전 정보의 측면에서 설명하시오.

Keyword 암수 생식세포, 자손, 염색체 수, 유전 정보

_____

_____

8 그림은 사람에서 수정이 일어난 후 수정란이 분열하여 16세포배가 될 때까지를 나타낸 것이다.

(1) 수정에 참여하는 정자와 난자의 차이점을 크기, 운동성의 측면에서 설명하시오.

Keyword 정자, 난자, 양분, 꼬리

_____

_____

(2) 수정란의 염색체 수와 상대적 크기를 기준으로 각 배를 구성하는 세포 하나의 염색체 수와 상대적 크기를 표의 빈칸에 쓰고, 그렇게 생각한 까닭을 설명하시오.

구분	수정란	2세포배	4세포배	8세포배
염색체 수(개)	46	㉠	㉡	㉢
세포의 크기 (상댓값)	1	㉣	㉤	㉥

Keyword 체세포 분열, 염색체 수, 생장, 세포의 크기

_____

_____

02 유전의 원리

생물이 형질을 자손에게 물려주는 현상을 유전이라고 한다. 멘델은 유전 현상에 대해 체계적이고 과학적으로 연구하여 생물에서 유전이 일어나는 몇 가지 기본 원리를 알아냈다. 멘델이 알아낸 유전 원리에 대해 알아보자.

① 유전

1. 유전 용어 〔과학 용어 사전 159쪽〕

유전	어버이의 형질이 자손에게 전해지는 현상
형질	생물의 크기, 모양, 색깔 등과 같은 생물의 고유한 특성
대립 형질	하나의 형질에 대하여 뚜렷하게 대비되는 특징
표현형	겉으로 드러나는 형질
유전자형	형질을 나타내는 유전자의 구성을 기호로 표시한 것
순종	몇 세대를 자가 수분해도 계속 같은 형질의 자손만 나타나는 개체
잡종	대립 형질이 다른 순종끼리 교배하여 얻은 자손
우성	대립 형질을 가진 순종끼리 교배하여 얻은 잡종 1대에서 나타나는 형질
열성	대립 형질을 가진 순종끼리 교배하여 얻은 잡종 1대에서 나타나지 않는 형질

2. 멘델의 유전 실험
멘델은 다양한 형질의 완두를 교배하여 유전의 기본 원리를 밝혀냈다.

멘델이 유전 실험에 이용한 완두의 7가지 대립 형질

완두 형질	씨 모양	씨 색깔	꽃 색깔	콩깍지 모양	콩깍지 색깔	꽃 위치	줄기의 키
우성	둥글다.	노란색	보라색	매끈하다.	초록색	줄기 옆	크다.
열성	주름지다.	초록색	흰색	잘록하다.	노란색	줄기 끝	작다.

학습 내용 Check

정답과 해설 067쪽

1. 완두 씨의 색깔이라는 형질에 대해 노란색과 초록색처럼 서로 대비되는 형질을 _____이라고 한다.

2. 겉으로 드러나는 형질을 _____, 유전자 구성을 기호로 표시한 것을 _____이라고 한다.

3. 순종인 둥근 완두와 주름진 완두를 교배하여 얻은 잡종 1대의 완두가 모두 둥글다면 둥근 형질이 _____이고, 주름진 형질이 _____이다.

자가 수분과 타가 수분
- 자가 수분: 수술의 꽃가루가 같은 그루의 꽃에 있는 암술에 수분되는 것이다.
- 타가 수분: 수술의 꽃가루가 다른 그루의 꽃에 있는 암술에 수분되는 것이다.

타가 수분
자가 수분

완두가 유전 실험의 재료로 적합한 까닭
- 구하기 쉽고 재배하기 쉽다.
- 자손의 수가 많아 통계 처리가 가능하다.
- 자유로운 교배가 가능하다.
- 대립 형질이 뚜렷하게 구분된다.
- 자가 수분이 잘되어 순종을 얻기 쉽다.

2 멘델의 유전 원리

1. 한 가지 형질에 대한 완두 교배 실험

(1) 멘델의 실험 과정과 결과

① 순종의 둥근 완두와 주름진 완두를 교배하여 잡종 1대를 얻는다. → 잡종 1대에서는 둥근 완두만 나온다.

② 잡종 1대의 둥근 완두를 자가 수분하여 잡종 2대를 얻는다. → 잡종 2대에서는 둥근 완두와 주름진 완두가 약 3 : 1의 비율로 나온다.

(2) 멘델의 가설: 멘델은 실험 결과를 해석하기 위해 다음과 같은 가설을 세웠다.

> • 생물체의 특정한 형질은 한 쌍의 <u>유전 인자</u>에 의해 결정되며, 한 쌍의 유전 인자는 부모에게서 각각 하나씩 물려받은 것이다. └유전자 └대립유전자
> • 한 쌍의 유전 인자는 생식세포를 형성할 때 서로 분리되어 각각 다른 생식세포로 들어가며, 자손에게 전달되어 다시 쌍을 이룬다. – 분리의 법칙
> • 특정한 형질에 대한 한 쌍의 유전 인자가 서로 다르면 그중 하나만 표현되며 다른 하나는 표현되지 않는다. – 우열의 원리

(3) 실험 결과의 해석

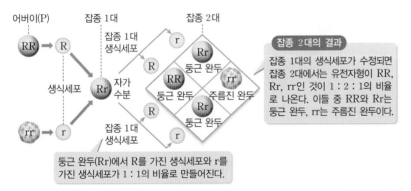

둥근 완두(Rr)에서 R를 가진 생식세포와 r를 가진 생식세포가 1 : 1의 비율로 만들어진다.

① 우열의 원리 확인: 순종의 둥근 완두와 주름진 완두를 교배하면 잡종 1대에서는 둥근 완두만 나타난다. – 둥근 것이 우성, 주름진 것이 열성이다. **과학 용어 사전 159쪽**

② 분리의 법칙 확인: 잡종 1대의 둥근 완두를 자가 수분하면 잡종 2대에서 유전자형의 분리비는 RR : Rr : rr=1 : 2 : 1로 나타나고, 표현형의 분리비는 둥근 완두 : 주름진 완두=3 : 1로 나타난다. → 잡종 1대에서 생식세포가 형성될 때, 대립유전자가 분리되어 각각 다른 생식세포로 들어가기 때문이며, 이를 분리의 법칙이라고 한다. **과학 용어 사전 159쪽**

검정 교배

우성 형질을 나타내는 개체가 순종인지 잡종인지 알아보기 위해 열성 순종 개체와 교배하는 것을 말한다. 교배 결과 자손에서 열성 개체가 나오지 않으면 순종, 열성 개체가 나오면 잡종으로 판정할 수 있다.

용어 대립유전자

대립 형질을 결정하는 유전자로, 상동 염색체의 같은 위치에 있다. 우성 대립유전자는 알파벳 대문자, 열성 대립유전자는 알파벳 소문자로 표시한다.

순종과 잡종의 유전자형

유전자형이 RR, rr와 같이 같은 대립유전자로 구성되면 순종, Rr와 같이 서로 다른 대립유전자로 구성되면 잡종이다.

생식세포 분열과 분리의 법칙

생식세포가 형성될 때 감수 1분열에서 상동 염색체가 서로 분리되어 각각 다른 세포로 들어간다. 이때 대립유전자도 서로 분리되어 각각 다른 생식세포로 들어가게 된다. 따라서 분리의 법칙은 생식세포 분열 과정에서 상동 염색체가 분리되어 이동하는 것과 관련이 있다.

2. 두 가지 형질에 대한 완두 교배 실험

(1) 멘델의 실험 과정과 결과

① 순종의 둥글고 노란색인 완두와 주름지고 초록색인 완두를 교배하여 잡종 1대를 얻는다. → 잡종 1대에서는 둥글고 노란색인 완두만 나온다.

② 잡종 1대의 둥글고 노란색인 완두를 자가 수분하여 잡종 2대를 얻는다. → 잡종 2대에서는 둥글고 노란색, 둥글고 초록색, 주름지고 노란색, 주름지고 초록색인 완두가 약 9 : 3 : 3 : 1의 비율로 나온다.

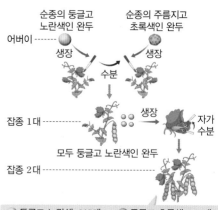

🟡 둥글고 노란색: 315개　🟢 둥글고 초록색: 108개
🟤 주름지고 노란색: 101개　🟫 주름지고 초록색: 32개

(2) 실험 결과의 해석

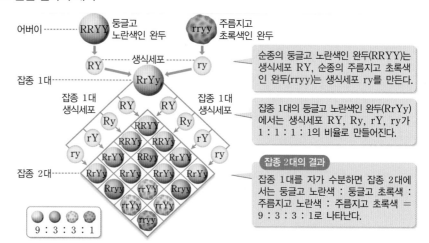

순종의 둥글고 노란색인 완두(RRYY)는 생식세포 RY, 순종의 주름지고 초록색인 완두(rryy)는 생식세포 ry를 만든다.

잡종 1대의 둥글고 노란색인 완두(RrYy)에서는 생식세포 RY, Ry, rY, ry가 1 : 1 : 1 : 1의 비율로 만들어진다.

잡종 2대의 결과

잡종 1대를 자가 수분하면 잡종 2대에서는 둥글고 노란색 : 둥글고 초록색 : 주름지고 노란색 : 주름지고 초록색 = 9 : 3 : 3 : 1로 나타난다.

완두 씨 모양의 분리비는 둥근 완두 : 주름진 완두＝3 : 1이고, 완두 씨 색깔의 분리비는 노란색 완두 : 초록색 완두＝3 : 1이다. → 두 가지 이상의 형질이 유전될 때 각각의 형질은 서로 영향을 주지 않고 분리의 법칙에 따라 독립적으로 유전되며, 이를 독립의 법칙이라고 한다. 과학 용어 사전 160쪽

학습 내용 Check

정답과 해설 067쪽

1. 순종의 노란색 완두와 초록색 완두를 교배하였을 때 잡종 1대에서 우성 형질인 노란색 완두만 나타나는 것을 _____의 원리라고 한다.

2. 하나의 형질을 결정하는 대립유전자가 생식세포 형성 시 서로 다른 생식세포로 들어가는 것을 _____이라고 한다.

3. 완두 씨의 모양과 색깔을 결정하는 대립유전자가 서로 영향을 미치지 않고 분리의 법칙에 따라 독립적으로 유전되는 것을 _____이라고 한다.

단성 잡종과 양성 잡종

• 단성 잡종: 한 쌍의 대립 형질을 대상으로 교배하여 생기는 잡종으로, 유전자형은 Rr, Yy와 같이 나타낸다.

• 양성 잡종: 두 쌍의 대립 형질을 대상으로 교배하여 생기는 잡종으로, 유전자형은 RrYy와 같이 나타낸다. 양성 잡종의 유전자형을 표기할 때는 하나의 형질에 대한 대립유전자끼리 붙여서 쓰고, 각각 대문자를 먼저 쓴다.

독립의 법칙과 염색체

독립의 법칙은 두 쌍의 대립 형질을 결정하는 유전자가 서로 다른 상동 염색체에 있을 때만 적용된다. 즉, 완두 씨 모양 유전자와 완두 씨 색깔 유전자가 서로 다른 상동 염색체에 있어서 각 대립유전자 쌍이 생식세포 분열 과정에서 독립적으로 분리되어 각각 다른 생식세포로 들어가는 경우이다. 만일 두 쌍의 대립 형질을 결정하는 유전자가 같은 염색체에 있으면 독립의 법칙은 성립하지 않는다.

둥글고 노란색

RrYy

생식세포

탐구

멘델의 유전 원리에 관한 모의 실험하기

바둑알을 이용한 모의 실험을 통해 유전자의 전달 과정을 이해하고, 분리의 법칙을 설명할 수 있다.

❶ 2개의 주머니에 하나는 암술, 다른 하나는 수술이라고 표시한다.

유의점 2개의 주머니는 완두의 생식 기관을 의미한다.

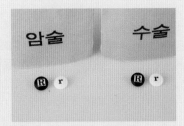

❷ 각 주머니에 R라고 쓴 검은색 바둑알과 r라고 쓴 흰색 바둑알을 한 개씩 넣는다. → R는 둥근 완두 유전자, r는 주름진 완두 유전자이다.

❸ 주머니 속을 보지 않고 2개의 주머니에서 각각 바둑알을 하나씩 꺼내어 짝 지은 다음 이를 표에 기록한다. → 자손의 유전자형과 표현형이다.

❹ 꺼낸 바둑알을 다시 원래의 주머니에 넣고, 다시 바둑알을 하나씩 꺼내는 과정을 20회 반복한다.

횟수	1	2	3	4	5	6	7	8	9	10
유전자형	Rr	rr	RR	Rr	RR	RR	Rr	rr	Rr	Rr
표현형	둥글다.	주름지다.	둥글다.	둥글다.	둥글다.	둥글다.	둥글다.	주름지다.	둥글다.	둥글다.
횟수	11	12	13	14	15	16	17	18	19	20
유전자형	rr	Rr	RR	rr	Rr	Rr	Rr	RR	Rr	rr
표현형	주름지다.	둥글다.	둥글다.	주름지다.	둥글다.	둥글다.	둥글다.	둥글다.	둥글다.	주름지다.

1. 완두의 씨 모양 대립유전자 R와 r는 생식세포 형성 시 분리되어 각각 다른 생식세포로 들어간다.

2. 유전자형이 Rr인 완두를 자가 수분하면 자손의 유전자형 분리비는 RR : Rr : rr=1 : 2 : 1이고, 표현형 분리비는 둥근 완두 : 주름진 완두=3 : 1이다.

탐구 확인 문제

정답과 해설 067쪽

1 위 탐구에 대한 설명으로 옳은 것은 ○, 옳지 <u>않은</u> 것은 ×로 표시하시오.

(1) 바둑알은 생식세포를 의미한다. ·················· (   )

(2) 바둑알에 쓰여 있는 R와 r는 완두 씨 모양의 대립유전자이다. ······················· (   )

(3) 과정 ❸에서 바둑알을 하나씩 꺼내는 것은 체세포 분열이 일어나는 것을 의미한다. ·················· (   )

(4) 자손의 표현형의 분리비는 둥근 완두 : 주름진 완두가 1 : 1이다. ······························ (   )

2 (적용) 위 탐구 내용과 관련이 <u>없는</u> 것은?

① 하나의 형질은 한 쌍의 대립유전자에 의해 결정된다.

② 한 쌍의 대립유전자는 부모로부터 각각 하나씩 물려받은 것이다.

③ 쌍을 이룬 대립유전자가 다를 경우 우성 형질만 표현되고 열성 형질은 표현되지 않는다.

④ 쌍을 이룬 대립유전자는 생식세포가 만들어질 때 분리되어 서로 다른 생식세포로 들어간다.

⑤ 두 가지 이상의 형질이 동시에 유전될 때 각각의 형질을 결정하는 대립유전자는 독립적으로 유전된다.

심화 유전자와 염색체의 관계

멘델의 유전 원리가 재발견된 후 멘델이 제안한 유전 인자가 무엇이며 어디에 있는지에 대한 연구가 활발하게 진행되었다. 이후 유전 인자가 유전자이며, 유전자는 염색체에 있다는 것이 밝혀졌다. 이러한 연구 과정에 대해 알아보자.

① 염색체설

서턴은 생식세포 분열 과정에서 염색체의 행동을 관찰하고, 멘델이 제안한 유전 인자의 행동과 염색체의 행동이 일치한다는 것을 발견하였다. 이를 바탕으로 서턴은 '유전 인자는 염색체에 있으며, 염색체를 통해 자손에게 전달된다.'라는 염색체설을 주장하였다.

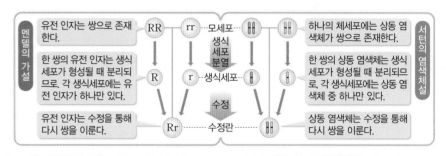

② 유전자설

서턴의 염색체설은 유전자가 염색체에 있다는 것을 제안하였지만, 결정적인 증거는 제시하지 못하였다. 모건은 초파리 돌연변이에 대한 연구를 통해 유전자가 염색체에 있다는 것을 입증하였다. 모건은 '유전자는 염색체의 일정한 위치에 존재하며, 대립유전자는 상동 염색체의 같은 위치에 있다.'는 유전자설을 주장하였다.

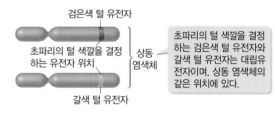

③ 멘델의 유전 원리와 염색체의 행동

순종의 둥근 완두와 주름진 완두를 교배하여 얻은 잡종 1대의 유전자형은 Rr이다. 대립유전자 R와 r는 상동 염색체의 같은 위치에 있으며, 생식세포 분열 과정에서 상동 염색체가 분리되어 서로 다른 생식세포로 들어갈 때 대립유전자도 각각 다른 생식세포로 나뉘어 들어간다. 그 결과 잡종 1대를 자가 수분하여 얻은 잡종 2대에서 우성과 열성이 3 : 1의 비율로 나타난다.

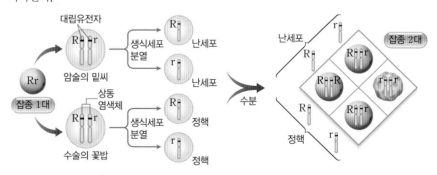

완두의 씨 모양 유전에 대한 염색체의 움직임

한눈에보는 중단원 핵심 정리

1 유전 용어

유전 용어	뜻	예
형질	생물의 고유한 특성	완두 씨 모양, 완두 씨 색깔
대립 형질	하나의 형질에 대하여 뚜렷하게 대비되는 특징	둥글다. ↔ 주름지다.
표현형	겉으로 드러나는 형질	둥글다, 주름지다.
유전자형	유전자의 구성을 기호로 표시한 것	RR, Rr, rr
순종	자가 수분하여 대대로 같은 표현형의 자손만 나타나는 개체	유전자형이 RR, rr인 개체
잡종	자가 수분하여 우성과 열성의 자손이 모두 나타나는 개체	유전자형이 Rr인 개체
우성	순종의 대립 형질끼리 교배했을 때 잡종 1대에서 표현되는 형질	둥글다(R).
열성	순종의 대립 형질끼리 교배했을 때 잡종 1대에서 표현되지 않는 형질	주름지다(r).
대립유전자	하나의 형질을 결정하는 유전자	R, r

2 멘델의 유전 원리

① **우열의 원리**: 대립 형질을 가진 순종의 개체끼리 교배하면 잡종 1대에서 우성 형질만 표현된다.

② **분리의 법칙**: 하나의 형질을 결정하는 대립유전자는 생식세포를 형성할 때 분리되어 서로 다른 생식세포로 들어간다. 그 결과 잡종 2대에서 우성과 열성이 일정한 비율(3 : 1)로 나타난다.

③ **독립의 법칙**: 두 가지 이상의 형질이 유전될 때 각각의 형질을 결정하는 대립유전자들은 서로 영향을 주지 않고 각각 분리의 법칙에 따라 독립적으로 유전된다.

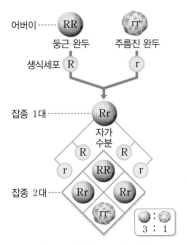

한 가지 형질에 대한 완두 교배 실험

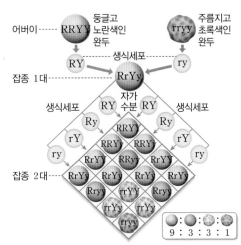

두 가지 형질에 대한 완두 교배 실험

01 멘델이 실험 재료로 선택한 완두가 유전 연구의 재료로 적합한 점이 **아닌** 것은?

① 구하기가 쉽다.

② 한 세대가 길다.

③ 자유롭게 교배할 수 있다.

④ 대립 형질이 뚜렷하게 구별된다.

⑤ 자손의 수가 많아 통계 처리할 수 있다.

02 유전자형이 순종인 것을 보기에서 모두 골라 기호를 쓰시오.

┌ 보기 ─────────────────────
ㄱ. RR   ㄴ. rrYY
ㄷ. Rryy   ㄹ. aaBBdd
└──────────────────────────

03 유전 용어에 대한 설명으로 옳지 **않은** 것은?

① 표현형: 겉으로 드러나는 생물의 형질

② 대립 형질: 같은 종류의 특성에 대해 서로 대비되는 형질

③ 형질: 크기나 모양, 색 등 생물이 가지고 있는 여러 가지 특징

④ 순종: 몇 세대를 자가 수분해도 계속하여 같은 형질이 나오는 개체

⑤ 우성: 순종의 대립 형질끼리 교배하였을 때 잡종 1대에서 나타나지 않는 형질

[04~05] 그림은 순종의 둥근 완두와 주름진 완두를 교배하여 잡종 1대를 얻는 과정을 나타낸 것이다. (단, 완두의 씨 모양은 둥근 것이 우성, 주름진 것이 열성이다.)

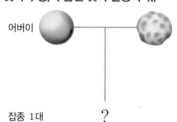

04 잡종 1대에 대한 설명으로 옳은 것은?

① 둥근 완두만 나온다.

② 주름진 완두만 나온다.

③ 둥근 대립유전자만 가진다.

④ 주름진 대립유전자만 가진다.

⑤ 둥근 완두와 주름진 완두가 1 : 1로 나온다.

05 잡종 1대를 자가 수분하여 잡종 2대에서 800개의 완두를 얻었다. 잡종 2대에서 둥근 완두는 이론적으로 몇 개인가?

① 100개   ② 200개   ③ 400개

④ 600개   ⑤ 800개

06 멘델은 완두를 이용한 교배 실험 결과를 설명하기 위해 몇 가지 가설을 세웠다. 멘델이 제시한 가설로 옳은 것을 보기에서 모두 고른 것은?

┌ 보기 ─────────────────────
ㄱ. 유전 인자는 염색체에 있다.
ㄴ. 한 쌍을 이루는 유전 인자가 서로 다를 때 하나의 유전 인자만 형질로 표현된다.
ㄷ. 한 쌍을 이루는 유전 인자는 생식세포가 만들어질 때 각각 다른 생식세포로 나뉘어 들어간다.
└──────────────────────────

① ㄱ   ② ㄴ   ③ ㄱ, ㄷ

④ ㄴ, ㄷ   ⑤ ㄱ, ㄴ, ㄷ

07 그림은 완두의 몇 가지 형질과 우열 관계를 나타낸 것이다.

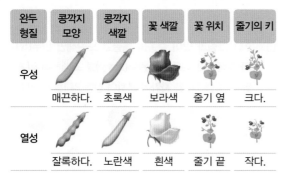

완두 형질	콩깍지 모양	콩깍지 색깔	꽃 색깔	꽃 위치	줄기의 키
우성	매끈하다.	초록색	보라색	줄기 옆	크다.
열성	잘록하다.	노란색	흰색	줄기 끝	작다.

이에 대한 설명으로 옳은 것은?

① 매끈한 콩깍지끼리 교배하면 항상 매끈한 콩깍지만 나온다.

② 노란색 콩깍지 중에는 초록색 콩깍지 대립유전자를 가진 것이 있다.

③ 보라색 꽃과 흰색 꽃을 교배하면 보라색 꽃만 나온다.

④ 꽃이 줄기 끝에 달리는 완두를 자가 수분하면 자손은 모두 꽃이 줄기 끝에 달린다.

⑤ 순종인 키 큰 완두와 키 작은 완두를 교배하면 잡종 1 대에서 우성과 열성이 1 : 1로 나온다.

08 그림은 둥근 완두 (가)와 (나)를 각각 주름진 완두와 교배한 결과를 나타낸 것이다. (단, 우성 대립유전자는 R, 열성 대립유전자는 r로 표시한다.)

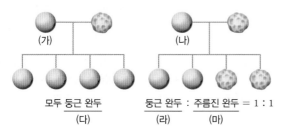

모두 둥근 완두 (다)

둥근 완두 : 주름진 완두 = 1 : 1
(라)   (마)

이에 대한 설명으로 옳은 것을 보기에서 모두 고른 것은?

┌ 보기 ─────────────────────
ㄱ. (가)는 유전자형이 Rr이고, (나)는 RR이다.
ㄴ. (다)의 완두는 주름진 유전자를 갖는다.
ㄷ. (라)와 (마)의 완두를 교배하면 둥근 완두와 주름진 완두가 1로 나온다.
└──────────────────────────

① ㄱ   ② ㄴ   ③ ㄱ, ㄷ ④ ㄴ, ㄷ ⑤ ㄱ, ㄴ, ㄷ

[09~12] 순종의 둥글고 노란색인 완두(RRYY)와 주름지고 초록색인 완두(rryy)를 교배하여 잡종 1대를 얻고, 잡종 1 대를 자가 수분하여 잡종 2대를 얻었다.

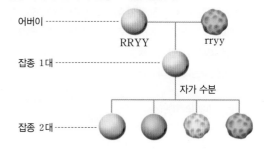

09 잡종 1대의 유전자형을 쓰시오.

10 잡종 1대의 완두에서 만들어지는 생식세포의 유전자형을 모두 쓰시오.

11 잡종 2대의 표현형 분리비로 옳은 것은?

	둥글고 노란색		둥글고 초록색		주름지고 노란색		주름지고 초록색
①	1	:	0	:	0	:	1
②	1	:	1	:	1	:	1
③	3	:	0	:	0	:	1
④	3	:	1	:	3	:	1
⑤	9	:	3	:	3	:	1

12 이에 대한 설명으로 옳은 것을 보기에서 모두 고른 것은?

┌ 보기 ─────────────────────
ㄱ. 완두 씨의 모양과 색깔은 독립적으로 유전된다.
ㄴ. 잡종 2대의 둥글고 노란색인 완두는 모두 순종이다.
ㄷ. 완두 씨의 모양과 색깔 유전은 분리의 법칙을 따르지 않는다.
└──────────────────────────

① ㄱ   ② ㄴ   ③ ㄱ, ㄴ

④ ㄱ, ㄷ   ⑤ ㄴ, ㄷ

정답과 해설 068쪽

01 표는 어떤 동물의 털 색깔 유전을 알아보기 위한 교배 실험 결과를 나타낸 것이다. 이 동물의 털 색깔은 멘델의 유전 원리를 따른다. (단, 털 색깔의 우성 대립유전자는 B, 열성 대립유전자는 b로 나타낸다.)

어버이의 표현형	자손의 표현형	
	회색	흰색
회색 (가) × 회색 (나)	3	1
회색 (다) × 회색 (라)	1	0
회색 (마) × 흰색 (바)	1	0
회색 (사) × 흰색 (아)	1	1

이에 대한 설명으로 옳은 것을 모두 고르면? (정답 2개)

① 털 색깔은 흰색이 우성이고, 회색이 열성이다.
② (가)와 (나)는 털 색깔 유전자형이 Bb로 같다.
③ (다)와 (라)는 모두 털 색깔 유전자형이 순종이다.
④ (마)와 (바)는 모두 털 색깔 유전자형이 순종이다.
⑤ (사)와 (아)는 각각 두 종류의 생식세포를 형성한다.

02 그림은 멘델의 유전 원리를 따르는 완두의 꽃 색깔에 대한 교배 실험을 나타낸 것이다. (단, 어버이는 모두 순종이다.)

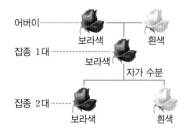

이에 대한 설명으로 옳은 것을 보기에서 모두 고른 것은?

보기
ㄱ. 꽃 색깔은 보라색이 흰색에 대해 우성이다.
ㄴ. 잡종 1대는 흰색 대립유전자를 가지고 있다.
ㄷ. 잡종 2대의 보라색 꽃 중에서 유전자형이 순종인 것과 잡종인 것의 비율은 1 : 2이다.

① ㄴ   ② ㄱ, ㄴ   ③ ㄱ, ㄷ
④ ㄴ, ㄷ   ⑤ ㄱ, ㄴ, ㄷ

[03~04] 그림과 같이 순종의 둥글고 노란색인 완두(RRYY)와 주름지고 초록색인 완두(rryy)를 교배하여 잡종 1대를 얻고, 잡종 1대를 자가 수분하여 잡종 2대를 얻었다.

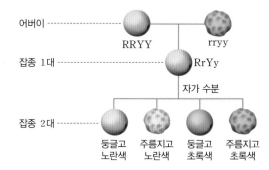

03 이에 대한 설명으로 옳은 것을 모두 고르면? (정답 2개)

① 어버이의 둥글고 노란색인 완두에서 4종류의 생식세포가 만들어진다.
② 잡종 1대의 표현형은 우열의 원리에 따라 둥글고 노란색으로 나타난다.
③ 잡종 2대에서 둥근 완두와 주름진 완두는 3 : 1의 비율로 나타난다.
④ 잡종 2대의 주름지고 노란색인 완두의 유전자형은 모두 순종이다.
⑤ 완두 씨를 주름지게 하는 유전자와 초록색을 나타내는 유전자는 항상 함께 행동한다.

04 잡종 2대의 어떤 둥글고 노란색인 완두(가)를 주름지고 초록색인 완두와 교배하였더니 그림과 같은 결과가 나왔다.

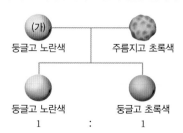

둥글고 노란색	주름지고 초록색

둥글고 노란색	둥글고 초록색
1	1

(가)의 유전자형을 쓰시오.

_____

☞ 제시된 Keyword를 이용하여 문제를 해결해 보자.

1 그림은 순종의 노란색 완두(YY)와 초록색 완두(yy)를 교배하여 잡종 1대를 얻고, 잡종 1대를 자가 수분하여 잡종 2대를 얻는 과정을 나타낸 것이다.

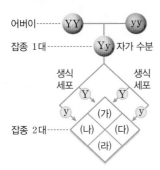

(1) 이 실험 결과를 통해 완두 씨 색깔은 노란색과 초록색 중 어떤 것이 우성인지 근거를 들어 설명하시오.

Keyword 노란색, 초록색, 우성, 열성

_____

_____

_____

(2) 잡종 1대에서 생식세포를 만들 때 대립유전자 Y나 y가 하나씩 들어가는 것과 관련 있는 멘델의 유전 원리를 설명하시오.

Keyword 대립유전자, 생식세포, 분리

_____

_____

_____

(3) 잡종 2대에서 (가)~(라)의 유전자형을 각각 쓰고, 유전자형과 표현형의 분리비를 설명하시오.

Keyword YY, Yy, yy, 유전자형, 표현형

_____

_____

2 완두의 콩깍지는 오른쪽 그림과 같이 초록색과 노란색이 있으며, 초록색이 노란색에 대해 우성이다.

초록색　　　　노란색

(1) 콩깍지의 색깔이 초록색인 완두와 노란색인 완두의 유전자형으로 가능한 것을 각각 쓰시오. (단, 초록색 대립유전자는 G, 노란색 대립유전자는 g로 표시한다.)

Keyword 초록색, 노란색, GG, Gg, gg

_____

_____

(2) 콩깍지가 초록색인 어떤 완두의 유전자형을 알아보기 위한 방법을 설명하시오.

Keyword 초록색, 노란색, GG, Gg

_____

_____

3 그림은 순종의 둥글고 노란색인 완두(RRYY)와 주름지고 초록색인 완두(rryy)를 교배한 실험 결과를 나타낸 것이다.

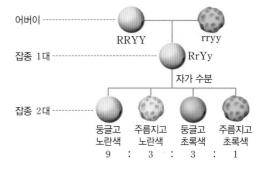

잡종 2대의 결과를 분석하여 알 수 있는 멘델의 유전 원리를 설명하시오.

Keyword 형질, 분리, 독립

_____

_____

03 사람의 유전

멘델이 알아낸 유전 원리는 사람의 유전에도 적용되어 유전 현상을 분석하는 데 이용될 수 있다. 사람의 유전을 연구하는 방법을 이해하고, 혈액형이나 색맹과 같은 형질의 유전 방식에 대해 알아보자.

1 사람의 유전 연구 방법

1. 사람의 유전 연구가 어려운 까닭

(1) 한 세대가 길고 자손의 수가 적다.

(2) 자유로운 교배가 불가능하다. ─ 연구자 마음대로 사람을 실험 대상으로 선택하거나 배우자를 임의로 결정할 수 없다.

(3) 형질의 종류가 많고 복잡하며, 환경의 영향을 많이 받는다.

2. 사람의 유전 연구 방법

(1) 가계도 조사: 특정 유전 형질을 가진 집안의 가계도를 조사하여 그 형질의 유전 방식을 연구하는 방법이다. 〔과학 용어 사전 160쪽〕

사람의 한 세대와 유전 연구
사람은 30년 정도를 한 세대로 본다. 한 세대가 길면 유전 연구 결과를 빨리 확인할 수 없으며, 한 연구자가 여러 세대에 걸친 유전 현상을 연구하기가 어렵다.

 가계도
여러 세대에 걸쳐 특정 형질에 관한 가족 구성원의 정보를 일정한 방식에 따라 도표로 그려 정리한 것이다.

> **가계도 그리는 법**
> • 남자는 ■, 여자는 ● 로 표시한다.
> • ■과 ●에 특정 형질의 여부를 색깔이나 무늬를 다르게 하여 나타낸다.
> • 부부는 가로선으로 연결하고, 가로선의 중심에서 아래로 선을 그어 자손을 나타낸다.

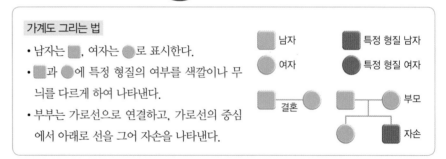

가계도 조사를 통해 알 수 있는 것
특정 형질에 대한 가계도를 분석하면 대립 형질의 우열 관계, 구성원의 유전자형, 유전 경로, 자손이 특정 형질을 나타낼 확률을 유추할 수 있다.

탐구⁺더하기   가계도 작성

다음 자료를 바탕으로 철수네 가족의 눈꺼풀 모양 가계도를 작성한다.

> • 아버지, 어머니, 누나, 철수는 쌍꺼풀이 있고, 여동생은 외까풀이다.
> • 누나는 쌍꺼풀이 있는 남자와 결혼하여 외까풀인 딸을 낳았다.

→ 쌍꺼풀과 외까풀의 색깔을 다르게 하여 가족 구성원 모두의 눈꺼풀 모양을 그림으로 나타낸다.

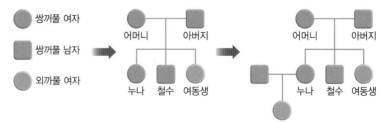

(2) **통계 조사**: 가능한 한 많은 사람을 대상으로 특정 형질에 대해 얻은 자료를 통계 처리하여 유전 형질의 특징과 유전자 분포 등을 알아내는 방법이다.

(3) **쌍둥이 연구**: 1란성 쌍둥이와 2란성 쌍둥이의 형질을 비교하여 ==사람의 형질이 유전과 환경 중 어느 요인의 영향을 더 많이 받는지 알아낸다.==

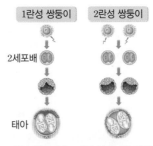

1란성 쌍둥이와 2란성 쌍둥이의 발생 과정

① 1란성 쌍둥이는 유전자 구성이 같으므로, 1란성 쌍둥이 사이의 형질 차이는 환경의 영향 때문에 나타난다.

② 2란성 쌍둥이는 유전자 구성이 다르므로, 2란성 쌍둥이 사이의 형질 차이는 유전과 환경의 차이가 합쳐져 나타난다.

(4) **최근의 연구 방법**: 염색체의 수와 모양을 분석하여 유전병을 진단하거나 DNA를 직접 분석하고 비교하여 유전자 정보를 얻고 특정 형질의 유전 여부를 확인한다. 태아의 염색체 수와 크기 및 모양 등을 분석하면 태아의 성별과 함께 염색체 이상에 의한 유전병을 알아낼 수 있다.

1란성 쌍둥이
하나의 수정란이 발생 초기에 둘로 나누어진 후 각각 완전한 개체로 발생한 경우이다. 따라서 유전자 구성이 같으며, 성별도 같다.

2란성 쌍둥이
난자 2개가 각각 다른 정자와 수정하여 만들어진 2개의 수정란이 각각 완전한 개체로 발생한 경우이다. 따라서 유전자 구성이 서로 다르며, 성별은 같을 수도 있고 다를 수도 있다.

DNA 분석
부모의 DNA와 자손의 DNA를 비교하면 부모의 DNA에 있던 특정 유전자가 자손에게 전달되었는지 확인할 수 있다.

학습 내용 Check

정답과 해설 069 쪽

1. 사람의 유전을 연구하기 어려운 까닭은 한 세대가 (길고, 짧고) 자손의 수가 (적기, 많기) 때문이다.

2. _____ 조사는 특정 형질을 가진 집안 구성원의 정보를 나타낸 도표를 이용하여 여러 세대에 걸친 유전 현상을 연구하는 방법이다.

3. _____ 조사는 특정 형질에 대해 가능한 한 많은 사람을 조사하여 얻은 자료로 유전 원리를 연구하는 방법이다.

4. _____ 연구는 특정 형질이 유전과 환경 중 어느 요인의 영향을 더 많이 받는지 알아보는 데 이용될 수 있다.

알고 보면 재미있는 과학 〉 유전자 분석 기술의 발달

유전은 부모의 유전자가 자손에게 전달되어 나타나는 현상이다. 예전에는 간접적인 방법으로 사람의 유전을 연구하였지만, 최근에는 DNA에 있는 유전자를 직접 분석하는 것이 가능해졌다. 2007년에는 유전자를 분석하는 데 드는 비용이 10만 달러였지만, 2011년에는 1만 달러, 2015년에는 4000달러, 2019년에는 1000달러 선으로 크게 낮아졌다. 이것은 유전자의 정보를 빠르게 읽을 수 있는 기술과 기기가 발달하면서 저렴한 비용으로 빠른 시간 내에 유전자 분석이 가능해졌기 때문이다. 이와 같이 과학의 발달은 기술의 발달을 가져오며, 기술의 발달로 과학에 접근하는 방식이 개선되고, 과학의 발달 속도도 빨라진다.

2 사람의 형질 유전 집중분석 048쪽

1. 사람의 유전 형질 혀 말기, 눈꺼풀 모양, 귓불 모양, 이마 선 모양, 보조개 등이 있다.

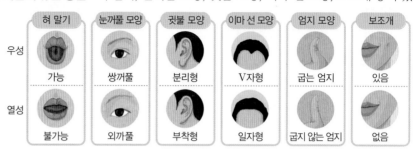

	혀 말기	눈꺼풀 모양	귓불 모양	이마 선 모양	엄지 모양	보조개
우성	가능	쌍꺼풀	분리형	V자형	굽는 엄지	있음
열성	불가능	외까풀	부착형	일자형	굽지 않는 엄지	없음

2. 상염색체 유전 형질을 결정하는 유전자가 상염색체에 있는 경우

(1) **대립유전자가 2가지인 형질의 유전**: 멘델의 유전 원리에 따라 유전된다. 혀 말기, 눈꺼풀 모양, 귓불 모양, 이마 선 모양 등의 형질이 있다.

탐구+더하기   귓불 모양 유전 가계도 분석

그림은 어느 집안의 귓불 모양 유전에 대한 가계도이다.

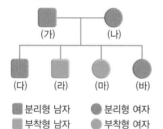

■ 분리형 남자　● 분리형 여자
■ 부착형 남자　● 부착형 여자

① 분리형인 부모 (가)와 (나)로부터 부착형인 자녀 (라)와 (마)가 태어났다. → 분리형이 우성, 부착형이 열성이다.

② 부착형의 자녀는 부모에게서 각각 부착형 대립유전자를 한 개씩 물려받았다. → 분리형 대립유전자를 E, 부착형 대립유전자를 e라 할 때, (가)와 (나)의 유전자형은 Ee이고, (라)와 (마)의 유전자형은 ee이다.

③ (다)와 (바)의 유전자형은 EE인지, Ee인지 확실히 알 수 없다.

───────────────────────────────────────

한 사람이 갖는 대립유전자는 2개이다.

(2) **ABO식 혈액형의 유전**: 대립유전자가 A, B, O 3가지이다. → **복대립 유전** 과학 용어 사전 160쪽

유전자의 우열 관계	A와 B 사이에는 우열 관계가 없으며, A와 B는 O에 대하여 각각 우성이다. (A=B>O)			
유전자형	AA, AO	BB, BO	AB	OO
표현형	A형	B형	AB형	O형

탐구+더하기   ABO식 혈액형 유전 가계도 분석

그림은 어느 집안의 ABO식 혈액형 유전에 대한 가계도이다.

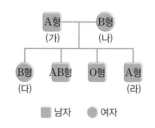

■ 남자　● 여자

① O형인 자녀의 유전자형은 OO이고, 부모에게서 대립유전자 O를 한 개씩 물려받았다. → (가)의 유전자형은 AO, (나)의 유전자형은 BO이다.

② (다)는 (나)에게서 대립유전자 B를, (가)에게서 대립유전자 O를 물려받아 유전자형이 BO이다.

③ (라)는 (가)에게서 대립유전자 A를, (나)에게서 대립유전자 O를 물려받아 유전자형이 AO이다.

상염색체 유전
상염색체는 남녀가 공통으로 가지고 있는 염색체이다. 따라서 상염색체에 유전자가 있는 경우 이론적으로 남녀에서 형질이 나타나는 비율이 같다.

가계도 분석 방법
• 우성과 열성 구분: 표현형이 같은 부모 사이에서 부모와는 다른 표현형의 자손이 태어나면 부모의 형질이 우성, 자손의 형질이 열성이다.
• 가족 구성원의 유전자형 파악: 열성 표현형인 사람은 유전자형이 열성 순종이다. 우성 표현형인 사람은 유전자형이 우성 순종 또는 잡종인데, 이때 부모나 자손의 표현형을 통해 유전자형을 유추할 수 있다.

복대립 유전
하나의 형질을 결정하는 데 3가지 이상의 대립유전자가 관여하는 유전이다. 대립유전자가 2가지인 경우에 비해 유전자형과 표현형이 다양하다.

ABO식 혈액형의 표현형과 유전자형

표현형	유전자형
A형	A A A O
B형	B B B O
AB형	A B
O형	O O

3. 반성유전 형질을 결정하는 <u>유전자가 성염색체에 있어 남녀에서 형질이 나타나는</u> <u>비율이 다른 유전 현상</u> 예 적록 색맹, 혈우병 과학 용어 사전 160쪽

(1) **사람의 성 결정:** 성염색체에는 X 염색체와 Y 염색체가 있으며, 난자가 X 염색체를 가진 정자와 수정하여 성염색체 구성이 XX가 되면 여자(딸)가 되고, 난자가 Y 염색체를 가진 정자와 수정하여 성염색체 구성이 XY가 되면 남자(아들)가 된다.

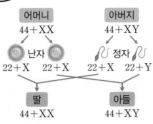

용어 **적록 색맹**

적록 색맹은 붉은색과 초록색을 잘 구별하지 못하는 유전 형질이다.

(2) **적록 색맹 유전:** 유전자가 X 염색체에 있으며 정상 대립유전자(X)가 우성이고, 적록 색맹 대립유전자(X′)가 열성이다.

열성 유전자를 가지면서 우성 표현형을 나타내는 사람

구분	남자		여자		
유전자형	XY	X′Y	XX	XX′	X′X′
표현형	정상	적록 색맹	정상	정상(보인자)	적록 색맹

→ 남자는 적록 색맹 대립유전자가 1개만 있어도 적록 색맹이 되고, 여자는 2개의 X 염색체에 모두 적록 색맹 대립유전자가 있어야 적록 색맹이 된다. 따라서 적록 색맹은 여자보다 남자에게 더 많이 나타난다.

탐구 더하기   적록 색맹 유전 가계도 분석

그림은 어느 집안의 적록 색맹 유전에 대한 가계도이다.

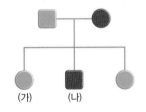

정상 남자 ▢
정상 여자 ⬤
적록 색맹 남자 ▪
적록 색맹 여자 ⬤

① 정상 대립유전자를 X, 적록 색맹 대립유전자를 X′라고 하면 부모의 유전자형은 각각 XY, X′X′이다.

② 딸은 부모에게서 X 염색체를 한 개씩 물려받는다. → (가)는 아버지에게서 X를, 어머니에게서 X′를 물려받으므로 유전자형이 XX′이고, 보인자이다.

③ 아들은 어머니에게서 X 염색체를, 아버지에게서 Y 염색체를 물려받는다. → (나)는 어머니에게서 X′를 물려받으므로 유전자형이 X′Y이고, 적록 색맹이다.

적록 색맹 유전의 특징
· 어머니가 색맹이면 아들은 반드시 색맹이다. → 아들은 X 염색체를 어머니에게서 물려받으므로 어머니가 색맹(X′X′)이면 아들은 반드시 색맹(X′Y)이다.
· 아버지가 정상이면 딸은 반드시 정상이다. → 딸은 부모에게서 X 염색체를 한 개씩 물려받으므로 아버지의 정상 대립유전자(X)를 물려받으면 어머니의 색맹 여부와 관계없이 딸은 정상(XX 또는 XX′)이다.

(3) **혈우병 유전:** 정상 대립유전자(X)가 우성이고, 혈우병 대립유전자(X′)가 열성이다.

구분	남자		여자		
유전자형	XY	X′Y	XX	XX′	X′X′
표현형	정상	혈우병	정상	정상(보인자)	태아 때 사망

혈우병 여자(X′X′)는 대부분 태아 때 사망하므로 여자 혈우병 환자는 거의 없고 주로 남자 혈우병 환자만 있다.

용어 **혈우병**

혈액 응고 인자가 결핍되어 출혈 시 혈액이 잘 응고되지 않는 유전병이다.

학습 내용 Check

정답과 해설 069 쪽

1. 유전자가 상염색체에 있는 경우 이론적으로 남녀에서 형질이 나타나는 비율은 (같다, 다르다).

2. ABO식 혈액형과 같이 하나의 형질을 표현하는 데 3가지 이상의 대립유전자가 관여하는 유전을 _____ 유전이라고 한다.

3. 적록 색맹과 같이 형질을 결정하는 유전자가 성염색체에 있어 남녀에 따라 형질이 나타나는 비율이 다른 유전 현상을 _____ 유전이라고 한다.

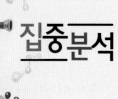

집중분석 (가계도 분석 방법

어떤 형질에 대한 가계도를 분석할 때는 먼저 형질의 우열 관계와 유전자가 상염색체와 성염색체 중 어디에 있는지를 판별한다. 그러면 구성원의 유전자형을 유추하여 자손에서 형질이 나타날 확률을 계산할 수 있다.

① 한 가지 형질의 가계도 분석하기

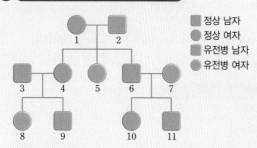

- 정상 남자
- 정상 여자
- 유전병 남자
- 유전병 여자

① 우열 관계 파악하기: 정상인 부모 3과 4에서 유전병인 8이 태어났으므로 정상이 우성, 유전병이 열성이다.

② 유전자의 염색체 상의 위치 파악하기

- 유전병 유전자가 Y 염색체에 있다면 유전병은 남자에게만 나타난다. → 유전병 여자가 있으므로 유전병 유전자는 Y 염색체에 있지 않다.
- 유전병 유전자가 X 염색체에 있다면 아버지가 정상이면 딸은 반드시 정상이어야 한다. → 아버지(3)가 정상인데 딸(8)이 유전병이므로 유전병 유전자는 X 염색체에 있지 않다.
- 우성인 정상 부모에게서 열성인 유전병 딸이 태어났으므로 유전병 유전자는 상염색체에 있다.

③ 구성원의 유전자형 파악하기: 정상 대립유전자를 A, 유전병 대립유전자를 a라고 가정한다.

- 유전병이 열성이므로, 유전병인 2, 5, 7, 8의 유전자형은 aa이다.
- 정상(우성)이지만 부모나 자녀 중 유전병이 있는 1, 3, 4, 6, 10, 11은 유전병 대립유전자를 하나 가지므로, 유전자형이 Aa이다.
- 9는 유전자형이 AA인지, Aa인지 확실히 알 수 없다.

② 두 가지 형질의 가계도 분석하기

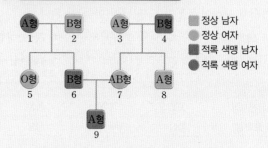

- 정상 남자
- 정상 여자
- 적록 색맹 남자
- 적록 색맹 여자

① ABO식 혈액형 유전에 대한 가계도 분석하기

- 5의 유전자형은 OO, 7의 유전자형은 AB이다.
- 5는 부모에게서 대립유전자 O를 하나씩 물려받았으므로 1과 2의 유전자형은 각각 AO, BO이다.
- 4와 6은 B형이고 A형인 자녀가 있으므로 유전자형이 BO이다.
- 8과 9는 A형이고 각각 B형인 4와 6에게서 대립유전자 O를 물려받았으므로 유전자형이 AO이다.

② 적록 색맹 유전에 대한 가계도 분석하기

- 정상인 남자 2, 8의 유전자형은 XY이고, 적록 색맹인 남자 4, 6, 9의 유전자형은 X′Y이다. 또한, 적록 색맹인 여자 1의 유전자형은 X′X′이다.
- 5는 1에게서, 7은 4에게서 X′를 물려받으므로 유전자형이 XX′이며, 보인자이다.
- 9의 적록 색맹 대립유전자(X′)는 4 → 7 → 9로 물려진 것이다.

③ 9의 동생이 태어날 때 A형이고 정상인 여자일 확률: BO×AB → AB, BB, AO, BO이므로, A형일 확률은 $\frac{1}{4}$이다. X′Y×XX′ → XX′, X′X′, XY, X′Y이므로, 정상 여자일 확률은 $\frac{1}{4}$이다. 따라서 9의 동생이 A형이고 정상인 여자일 확률은 $\frac{1}{4} \times \frac{1}{4} = \frac{1}{16}$이다.

중단원 핵심 정리

① 사람의 유전 연구 방법

① 사람의 유전 연구가 어려운 까닭: 한 세대가 길고, 자유로운 교배가 불가능하며, 자손의 수가 적고, 형질이 복잡하다.

② 사람의 유전 연구 방법

- 가계도 조사: 특정 유전 형질을 가진 집안의 가계도를 조사하여 유전 형질의 유전 방식을 알아본다.
- 통계 조사: 특정 형질에 대해 많은 사람을 조사하여 얻은 자료를 통계 처리하여 집단의 유전 현상을 연구한다.
- 쌍둥이 연구: 1란성 쌍둥이와 2란성 쌍둥이를 대상으로 형질 발현에 유전자와 환경이 주는 영향을 연구한다.
- 최근의 연구 방법: 염색체나 유전자를 분석한다.

②-1 상염색체 유전

① 형질을 결정하는 유전자가 **상염색체**에 있어 이론적으로 남녀에서 형질이 나타나는 비율이 같으며, 멘델의 유전 원리에 따라 유전된다. **예** 혀 말기, 귓불 모양 등

② 대립유전자가 2가지인 형질(귓불 모양)의 가계도 분석

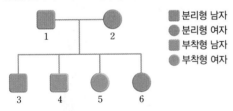

분리형 남자
분리형 여자
부착형 남자
부착형 여자

- 우열 관계와 유전자의 위치: 분리형 부모(1, 2)에게서 부착형인 딸(5)이 나왔다. → 분리형이 우성, 부착형이 열성이며, 귓불 모양 유전자는 상염색체에 있다.
- 가족 구성원의 유전자형: 분리형 대립유전자를 E, 부착형 대립유전자를 e라고 할 때, 부착형인 4, 5의 유전자형은 ee이고, 자녀가 부착형인 1, 2의 유전자형은 Ee이다.
- 3, 6의 유전자형은 EE인지, Ee인지 확실히 알 수 없다.

③ ABO식 혈액형 유전: 대립유전자가 A, B, O 3가지인 복대립 유전이다.

우열 관계	A=B>O			
표현형	A형	B형	AB형	O형
유전자형	AA, AO	BB, BO	AB	OO

②-2 반성유전

① **반성유전**: 형질을 결정하는 유전자가 **성염색체**에 있어 남녀에서 형질이 나타나는 비율이 다르다.

② **적록 색맹 유전**: 유전자가 X 염색체에 있으며, 적록 색맹 대립유전자는 정상에 대해 열성이다. 적록 색맹은 여자보다 남자에게 더 많이 나타난다.

③ 적록 색맹 가계도 분석

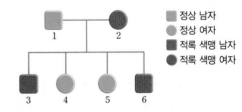

정상 남자
정상 여자
적록 색맹 남자
적록 색맹 여자

- 우열 관계: 정상 대립유전자 X가 우성, 적록 색맹 대립유전자 X'가 열성이다.
- 정상 남자 1의 유전자형은 XY, 적록 색맹 남자 3, 6의 유전자형은 X'Y이다.
- 적록 색맹 여자 2의 유전자형은 X'X'이다.
- 정상 여자 4와 5는 아버지인 1로부터 정상 대립유전자(X)를, 어머니인 2로부터 적록 색맹 대립유전자(X')를 물려받아 유전자형이 XX'이다.
- 어머니가 적록 색맹이면 아들은 반드시 적록 색맹이다.
- 아버지가 정상이면 딸은 어머니의 색맹 여부와 관계없이 반드시 정상이다.

01 사람의 유전 연구가 어려운 까닭으로 타당하지 않은 것은?

① 한 세대가 길다.

② 자손의 수가 적다.

③ 형질의 수가 많고 복잡하다.

④ 자유로운 교배가 불가능하다.

⑤ 형질 발현에 환경의 영향을 적게 받는다.

02 사람의 특정 형질이 유전적인 요인과 환경적인 요인 중 어느 요인의 영향을 많이 받는지 알아보기에 적합한 연구 방법은?

① 통계 조사   ② 가계도 조사

③ 쌍둥이 연구   ④ 유전자 분석

⑤ 염색체 분석

03 그림 (가)와 (나)는 1란성 쌍둥이와 2란성 쌍둥이가 탄생하는 과정의 일부를 순서없이 나타낸 것이다.

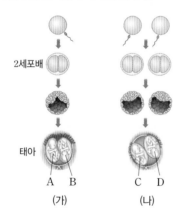

2세포배

태아

A B   C D

(가)   (나)

이에 대한 설명으로 옳은 것은?

① A와 B는 유전자 구성이 같다.

② A와 B가 성별이 같을 확률은 50 %이다.

③ A와 B는 2란성 쌍둥이다.

④ C와 D는 유전자 구성이 같다.

⑤ C와 D의 ABO식 혈액형이 같을 확률은 100 %이다.

04 가계도 조사로 알 수 있는 내용으로 옳은 것을 보기에서 모두 고른 것은?

┌ 보기 ─────────────────────────┐
│ ㄱ. 특정 형질이 우성인지 열성인지 알 수 있다.
│ ㄴ. 특정 형질의 유전에 관여하는 유전자의 구체적인 정보를 알 수 있다.
│ ㄷ. 장래 태어날 자손에서 특정 형질이 나타날 확률을 유추할 수 있다.
└────────────────────────────┘

① ㄱ   ② ㄴ   ③ ㄱ, ㄷ

④ ㄴ, ㄷ   ⑤ ㄱ, ㄴ, ㄷ

05 그림은 어느 집안의 귀지 유전에 대한 가계도이다.

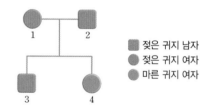

이에 대한 설명으로 옳은 것은?

① 젖은 귀지는 열성 형질이다.

② 1은 마른 귀지 대립유전자를 가지고 있다.

③ 2의 귀지 유전자형은 순종이다.

④ 3의 귀지 유전자형은 잡종임이 확실하다.

⑤ 4는 2에게서 우성 대립유전자를 물려받았다.

06 ABO식 혈액형 유전에 대한 설명으로 옳지 않은 것은?

① 표현형은 4가지이다.

② 유전자형은 6가지이다.

③ 유전자는 상염색체에 있다.

④ 한 사람은 혈액형 대립유전자를 3개 가진다.

⑤ 대립유전자 A와 B 사이에는 우열 관계가 없다.

07 그림은 어느 집안의 귓불 모양 유전에 대한 가계도이다.

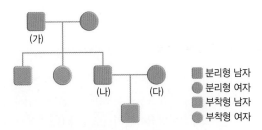

분리형 남자
분리형 여자
부착형 남자
부착형 여자

이에 대한 설명으로 옳지 <u>않은</u> 것은?

① 귓불 모양은 부착형이 열성 형질이다.

② 귓불 모양 유전자는 상염색체에 있다.

③ (가)와 (나)의 귓불 모양 유전자형은 같다.

④ 귓불 모양 형질은 멘델의 유전 원리에 따라 유전된다.

⑤ (나)와 (다) 사이에서 둘째 아이가 태어날 때, 이 아이가 분리형일 확률은 $\frac{2}{3}$ 이다.

08 그림은 어느 집안의 ABO식 혈액형 유전에 대한 가계도이다.

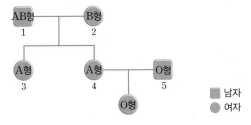

남자
여자

이에 대한 설명으로 옳은 것을 보기에서 모두 고른 것은?

보기
ㄱ. 2는 대립유전자 O를 갖는다.
ㄴ. 3의 ABO식 혈액형 유전자형은 순종이다.
ㄷ. 4와 5 사이에서 둘째 아이가 태어날 때, 이 아이가 A형일 확률은 50 %이다.

① ㄱ   ② ㄴ   ③ ㄱ, ㄷ
④ ㄴ, ㄷ   ⑤ ㄱ, ㄴ, ㄷ

09 그림은 두 사람의 염색체 구성을 나타낸 것이다.

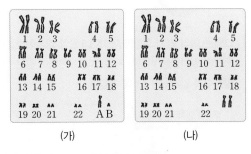

(가)   (나)

이에 대한 설명으로 옳지 <u>않은</u> 것은?

① (가)와 (나)의 염색체 수는 같다.

② (가)는 남자이고, (나)는 여자이다.

③ (가)는 난자가 Y 염색체를 가진 정자와 수정하여 태어났다.

④ 유전자가 A에 있는 형질은 남녀에서 같은 비율로 나타난다.

⑤ 유전자가 B에 있는 형질은 남자에서만 나타난다.

10 적록 색맹 유전의 특징으로 옳지 <u>않은</u> 것은?

① 반성유전 형질이다.

② 유전자가 X 염색체에 있다.

③ 적록 색맹 대립유전자는 열성이다.

④ 아버지가 색맹이면 딸은 반드시 색맹이다.

⑤ 어머니가 색맹이면 아들은 반드시 색맹이다.

11 그림은 어느 집안의 적록 색맹 유전에 대한 가계도이다.

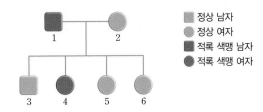

정상 남자
정상 여자
적록 색맹 남자
적록 색맹 여자

이에 대한 설명으로 옳은 것을 모두 고르면? (정답 2개)

① 1의 적록 색맹 대립유전자는 3에게 전달되었다.

② 2는 보인자이다.

③ 4는 적록 색맹 대립유전자를 한 개 갖는다.

④ 5의 적록 색맹 대립유전자는 아들에게만 물려진다.

⑤ 6은 2에게서 정상 대립유전자를 물려받았다.

정답과 해설 071쪽

01 그림은 여러 가지 질병에 대하여 1란성 쌍둥이와 2란성 쌍둥이의 일치율을 비교한 자료이다. 표현형이 같은 쌍둥이가 많을수록 일치율은 1.0에 가깝다.

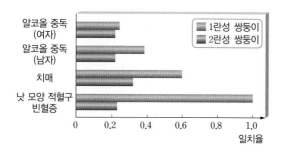

이에 대한 설명으로 옳은 것을 모두 고르면? (정답 2개)

① 알코올 중독은 남녀에 따른 유전적 차이가 없다.

② 알코올 중독은 환경적 요인의 영향을 받지 않는다.

③ 치매는 유전적 요인의 영향을 받는다.

④ 낫 모양 적혈구 빈혈증의 발현은 유전적 요인과 환경적 요인이 모두 영향을 준다.

⑤ 1란성 쌍둥이는 성장 환경이 달라도 낫 모양 적혈구 빈혈증의 표현형이 같다.

02 그림은 어느 집안의 ABO식 혈액형에 대한 가계도이다.

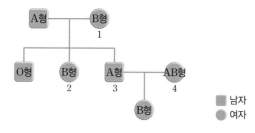

이에 대한 설명으로 옳은 것을 모두 고르면? (정답 2개)

① 1이 대립유전자 O를 가질 확률은 50 %이다.

② 1과 2의 ABO식 혈액형 유전자형은 같다.

③ 3은 아버지로부터 대립유전자 O를 물려받았다.

④ 4는 하나의 염색체에 대립유전자 A와 B를 갖는다.

⑤ 3과 4가 둘째 아이를 낳을 때, 이 아이가 A형일 확률은 $\frac{1}{2}$이다.

03 다음은 유전병 A와 B에 대한 자료이다.

- 유전병 A를 나타내는 남녀의 비율은 비슷하다.
- 자녀는 유전병 A여도 부모는 모두 A가 아닐 수 있다.
- 부모가 유전병 B이면 자녀도 항상 B를 나타낸다.
- 정상인 아버지와 유전병 B인 어머니 사이에서 태어난 딸은 항상 정상이고, 아들은 항상 B가 나타난다.

이에 대한 설명으로 옳은 것을 보기에서 모두 고른 것은?

보기

ㄱ. 유전병 A는 정상에 대해 우성 형질이다.

ㄴ. 유전병 A의 유전자는 성염색체에, 유전병 B의 유전자는 상염색체에 있다.

ㄷ. 어떤 남자의 A의 유전자는 아들에게 전달될 수 있지만, B의 유전자는 아들에게 전달되지 않는다.

① ㄱ   ② ㄴ   ③ ㄷ   ④ ㄱ, ㄷ   ⑤ ㄴ, ㄷ

04 그림은 어느 집안의 적록 색맹 유전 가계도이다.

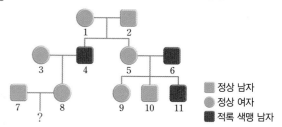

정상 남자
정상 여자
적록 색맹 남자

이에 대한 설명으로 옳은 것을 보기에서 모두 고른 것은?

보기

ㄱ. 9는 적록 색맹 대립유전자를 가진 보인자이다.

ㄴ. 11의 적록 색맹 대립유전자는 1에서 5를 거쳐 전달된 것이다.

ㄷ. 7과 8 사이에서 적록 색맹인 아들이 태어날 확률은 $\frac{1}{4}$이다.

① ㄴ   ② ㄷ   ③ ㄱ, ㄴ

④ ㄱ, ㄷ   ⑤ ㄱ, ㄴ, ㄷ

☞ 제시된 Keyword를 이용하여 문제를 해결해 보자.

1 그림은 영희네 집안의 어떤 유전병 유전에 대한 가계도이다.

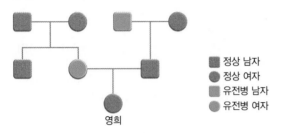

■ 정상 남자
● 정상 여자
■ 유전병 남자
● 유전병 여자

영희

(1) 이 유전병은 정상에 대해 우성인지 열성인지 쓰고, 그렇게 생각한 근거를 설명하시오.

Keyword 정상, 유전병, 우성, 열성

────────────────

────────────────

(2) 우성 대립유전자를 A, 열성 대립유전자를 a로 나타낼 때 이 유전병에 대한 영희의 유전자형을 쓰고, 그렇게 생각한 근거를 설명하시오.

Keyword 염색체, 어머니, A, a

────────────────

────────────────

2 다음은 철수네 가족의 ABO식 혈액형에 대한 자료이다.

- 철수네 가족은 부모님과 철수, 여동생으로 구성된다.
- 철수는 ABO식 혈액형이 B형이며, 가족 4명의 ABO식 혈액형은 모두 다르다.

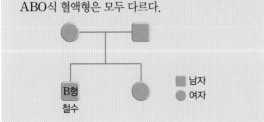

■ 남자
● 여자

B형
철수

(1) 철수의 ABO식 혈액형 유전자형을 쓰고, 그렇게 추론한 근거를 설명하시오.

Keyword 혈액형, B형, 대립유전자

────────────────

────────────────

(2) 철수의 ABO식 혈액형 유전자 구성을 염색체에 나타내고, 그렇게 표현한 까닭을 설명하시오.

Keyword 대립유전자, 상동 염색체

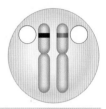

3 그림은 어느 집안의 적록 색맹 유전에 대한 가계도이다.

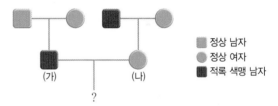

■ 정상 남자
● 정상 여자
■ 적록 색맹 남자

(가)   (나)

?

(1) (가)와 (나)의 적록 색맹 유전자형을 근거를 들어 설명하시오. (단, 정상 대립유전자는 X, 적록 색맹 대립유전자는 X′로 나타낸다.)

Keyword 아버지, 적록 색맹, 보인자

────────────────

────────────────

(2) (가)와 (나) 사이에서 적록 색맹인 아들이 태어날 확률을 구하는 과정을 포함하여 설명하시오.

Keyword 적록 색맹 아들, X′Y

────────────────

────────────────

1 오른쪽 그림은 염색체의 구조를 나타낸 것이다. 이에 대한 설명으로 옳은 것을 보기에서 모두 고른 것은?

Tip
㉠과 ㉡은 복제되어 형성된 염색 분체이다.

뉴클레오솜과 대립유전자
• 뉴클레오솜: DNA가 히스톤 단백질을 감싸고 있는 작은 덩어리이다.
• 대립유전자: 동일한 형질을 결정하는 유전자로, 상동 염색체의 같은 위치에 있다.

─ 보기 ─
ㄱ. A는 DNA와 단백질로 이루어져 있다.
ㄴ. B는 세포 주기의 간기에 관찰된다.
ㄷ. ㉠과 ㉡의 같은 위치에 대립유전자가 있다.

① ㄱ   ② ㄴ   ③ ㄱ, ㄴ
④ ㄱ, ㄷ   ⑤ ㄴ, ㄷ

2 그림 (가)와 (나)는 동물의 몸에서 두 종류의 세포 분열이 일어나는 동안 핵 1개당 유전 물질의 상대량 변화를 나타낸 것이고, (다)는 A~E 의 어느 한 시기에 관찰되는 세포를 나타낸 것이다.

Tip
(가)는 생식세포 분열, (나)는 체세포 분열을 나타낸 것이고, (다)에는 상동 염색체가 접합하여 형성된 2가 염색체가 있다.

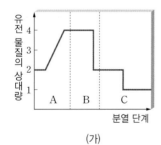

(가)

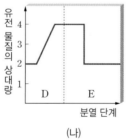

(나)

(다)

이에 대한 설명으로 옳은 것을 모두 고르면? (정답 2개)

① A와 D 시기에 염색체가 가장 응축되어 나타난다.

② (다)는 B 시기 중에 관찰될 수 있는 세포이다.

③ C와 E 시기에 염색 분체의 분리가 일어난다.

④ (가)는 온몸에서, (나)는 정소와 난소에서 일어나는 세포 분열이다.

⑤ B 시기에 형성된 딸세포와 E 시기에 형성된 딸세포의 염색체 수는 같다.

3 그림 (가)는 어떤 동물에서 세포 ㉠으로부터 정자가 형성되는 과정을, (나)는 세포 ⓐ~ⓒ의 핵 1개당 DNA양과 세포 1개당 염색체 수를 나타낸 것이다. ⓐ~ⓒ는 각각 세포 ㉡~㉣ 중 하나이다. (단, ㉠은 DNA 복제 전의 간기 상태의 세포이다.)

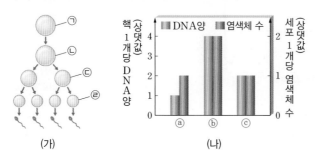

(가)   (나)

Tip

㉡에서 ㉢이 형성되는 감수 1분열에는 상동 염색체가 분리되고, ㉢에서 ㉣이 형성되는 감수 2분열에는 염색 분체가 분리된다.

이에 대한 설명으로 옳은 것은 보기에서 모두 고른 것은?

┌─ 보기 ───────────────────────────
ㄱ. ㉠의 염색체 수는 ⓑ와 같다.

ㄴ. ⓐ는 ㉢이고, ⓒ는 ㉣이다.

ㄷ. ㉡에서 ㉢이 형성될 때 염색체 수와 DNA양이 모두 반으로 줄어든다.
└──────────────────────────────────

① ㄱ   ② ㄴ   ③ ㄷ

④ ㄱ, ㄷ   ⑤ ㄱ, ㄴ, ㄷ

4 그림 (가)는 여자의 몸에서 일어나는 배란에서 착상까지의 과정을, (나)는 사람의 체세포에 들어 있는 염색체 중 두 쌍의 상동 염색체만을 나타낸 것이다.

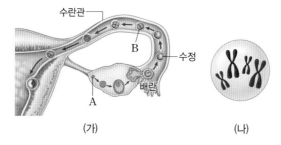

(가)   (나)

Tip

감수 1분열에서는 상동 염색체의 분리가 일어나고, 체세포 분열에서는 염색 분체의 분리가 일어난다.

배란

사춘기가 되면 여자의 난소에서 약 28일을 주기로 난자가 한 개씩 성숙하여 배출되는데, 이를 배란이라고 한다.

(가)의 A와 B에서 관찰할 수 있는 (나)의 염색체가 배열된 상태를 보기에서 골라 각각 옳게 짝 지은 것은? (단, 난자는 감수 1분열만 마친 상태로 배란된다.)

┌─ 보기 ───────────────────────────
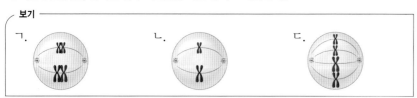
└──────────────────────────────────

① A－ㄱ, B－ㄴ   ② A－ㄱ, B－ㄷ   ③ A－ㄴ, B－ㄱ

④ A－ㄴ, B－ㄷ   ⑤ A－ㄷ, B－ㄱ

5 그림은 수정란의 초기 발생 과정 중 배와 배를 구성하는 세포의 특징 변화를 나타낸 것이다.

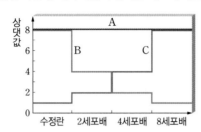

이에 대한 설명으로 옳은 것을 보기에서 모두 고른 것은?

> **보기**
>
> ㄱ. 배 전체의 크기 변화는 A와 같다.
>
> ㄴ. 세포 1개당 세포질의 양 변화는 B와 같다.
>
> ㄷ. 세포 1개당 염색체 수 변화는 C와 같다.

① ㄱ   ② ㄷ   ③ ㄱ, ㄴ

④ ㄴ, ㄷ   ⑤ ㄱ, ㄴ, ㄷ

Tip
난할은 체세포 분열의 일종이므로 세포 1개당 염색체 수는 변하지 않지만, DNA 복제 후 세포의 생장기가 거의 없이 분열만 계속된다.

난할
발생 초기에 일어나는 수정란의 세포 분열로, 체세포 분열의 일종이지만, 세포의 생장기가 거의 없어 난할이 거듭될수록 세포의 크기는 점점 줄어든다.

6 그림은 어느 집안의 유전병 유전에 대한 가계도이다.

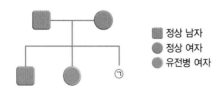

■ 정상 남자
● 정상 여자
● 유전병 여자

㉠이 유전병 대립유전자를 가지고 있는 정상 여자일 확률로 옳은 것은?

① $\frac{1}{8}$ ② $\frac{1}{4}$ ③ $\frac{1}{3}$

④ $\frac{3}{8}$ ⑤ $\frac{1}{2}$

Tip
정상인 부모에게서 유전병인 딸이 태어났으므로 정상이 유전병에 대해 우성이고, 유전병 유전자는 상염색체에 있다.

7 그림은 어느 집안의 ABO식 혈액형과 적록 색맹 유전에 대한 가계도이다.

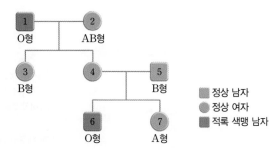

정상 남자
정상 여자
적록 색맹 남자

이에 대한 설명으로 옳은 것을 모두 고르면? (정답 2개)

① 2가 적록 색맹 대립유전자를 가질 확률은 1이다.

② 3과 5의 ABO식 혈액형의 유전자형은 서로 다르다.

③ 4와 5 사이에서 셋째 아이가 태어날 때, 이 아이가 혈액형이 A형이면서 적록 색맹인 아들일 확률은 $\frac{1}{16}$이다.

④ 6은 4에게서 대립유전자 O가 있는 상염색체와 적록 색맹 대립유전자가 있는 X 염색체를 물려받았다.

⑤ 대립유전자 O와 적록 색맹 대립유전자는 항상 함께 행동한다.

Tip

아버지가 적록 색맹이면 딸은 적록 색맹 대립유전자를 물려받는다. 또, 부모 중 한 명이 O형이면 A형이나 B형인 자녀의 ABO식 혈액형 유전자형은 잡종이다.

적록 색맹

색맹은 물체의 색깔을 잘 구별하지 못하는 유전 형질로, 특히 붉은색과 초록색을 잘 구분하지 못하는 경우를 적록 색맹이라고 한다.

8 오른쪽 그림은 사람 (가)의 세포 ㉠과 사람 (나)의 세포 ㉡의 유전자 A, a, B, b의 DNA 상대량을 나타낸 것이다. A와 a, B와 b는 서로 대립유전자이며, A와 B는 서로 다른 염색체에 있다. 이에 대한 설명으로 옳은 것을 보기에서 모두 고른 것은? (단, 돌연변이는 고려하지 않는다.)

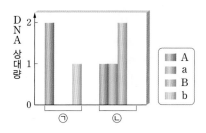

보기

ㄱ. (가)의 b는 어머니에게서 물려받은 것이다.

ㄴ. (나)의 부모님은 모두 B를 가진다.

ㄷ. (나)에서 형성되는 생식세포가 A와 B를 모두 가질 확률은 $\frac{1}{4}$이다.

① ㄱ   ② ㄷ   ③ ㄱ, ㄴ

④ ㄴ, ㄷ   ⑤ ㄱ, ㄴ, ㄷ

Tip

상염색체는 남녀 공통으로 있는 염색체이고, 성염색체는 여자는 XX이지만 남자는 XY이다.

성염색체

성 결정에 관여하는 염색체로, 여자는 X 염색체를 2개 가지고 남자는 X 염색체와 Y 염색체를 각각 한 개씩 갖는다.

창의·사고력 향상 문제

예제

오른쪽 그림은 2쌍의 상동 염색체를 가진 생물에서 생식세포 분열에 의해 형성될 수 있는 생식세포의 염색체 조합을 모두 나타낸 것이다. (단, 상동 염색체 사이의 유전 물질의 교환은 일어나지 않은 것으로 가정한다.)

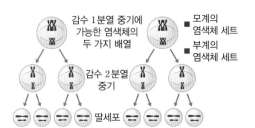

(1) 2쌍의 상동 염색체를 가진 이 생물에서 만들어질 수 있는 생식세포의 염색체 조합은 모두 몇 가지인지 쓰고, 그 까닭을 설명하시오.

(2) 23쌍의 상동 염색체를 갖는 사람의 경우, 한 쌍의 부부에게서 태어날 수 있는 자손의 염색체 조합은 모두 몇 가지인지 쓰고, 자손이 유전적 다양성을 획득하는 원리를 설명하시오.

▶▶ 해결 전략 클리닉 ◀◀

감수 1분열에서 상동 염색체 쌍이 무작위로 배열되었다가 독립적으로 분리됨으로써 유전적으로 다양한 생식세포가 만들어진다. 상동 염색체 쌍이 많을수록 염색체 조합의 가지 수가 많아지며, 암수 생식세포의 무작위 수정에 의해 자손의 유전적 다양성은 더욱 증가한다는 점에 착안하여 다음과 같은 방식으로 접근해 보자.

❶ 유전적으로 다양한 생식세포가 생기는 원리를 다음과 같은 순서로 설명한다.

(1) 생식세포 분열에서 감수 1분열에 상동 염색체가 무작위로 배열되었다가 분리된다.

(2) 상동 염색체가 2쌍이면 생식세포의 염색체 조합은 2^2가지가 가능하다.

❷ 유전적으로 다양한 자손이 생기는 원리를 다음과 같은 순서로 설명한다.

(1) ❶과 같은 원리로 생식세포의 염색체 조합은 2^n가지가 생긴다.

(2) 암수 생식세포의 무작위 수정으로 태어날 수 있는 자손의 염색체 조합은 $2^n \times 2^n$가지이다.

▶ 모범 답안 ◀

(1) 감수 1분열에서 각 상동 염색체 쌍은 무작위로 배열되었다가 분리되므로, 생식세포는 각 상동 염색체 쌍 중 1개씩만 무작위로 갖게 된다. 상동 염색체는 부모에게서 하나씩 물려받은 것으로 쌍을 이루는 상동 염색체의 유전 정보는 서로 다르다. 따라서 2쌍의 상동 염색체를 가진 생물에서 형성될 수 있는 생식세포의 염색체 조합은 $2 \times 2 = 2^2 = 4$가지이다.

(2) 23쌍의 상동 염색체를 갖는 사람에서 형성될 수 있는 생식세포인 정자와 난자의 염색체 조합은 각각 2^{23}가지이고, 정자와 난자의 무작위 수정으로 생길 수 있는 자손의 염색체 조합은 $2^{23} \times 2^{23} = 2^{46}$가지이다. 이 때문에 1란성 쌍둥이를 제외하면 같은 부모에게서 태어난 형제자매라 하더라도 유전적으로 같을 가능성은 거의 없다.

출제 의도

생식세포 분열로 만들어지는 생식세포가 유전적으로 다양한 까닭을 이해하고 있는가?

문제 해결을 위한 배경 지식

· **상동 염색체**: 체세포에 있는 모양과 크기가 같은 염색체 쌍으로, 부모에게서 하나씩 물려받은 것이다. 따라서 상동 염색체의 유전 정보는 서로 다르다.

· **2가 염색체**: 감수 1분열 전기에 상동 염색체가 접합하여 형성된 것으로, 중기에 세포의 가운데에 배열되었다가 후기에 상동 염색체가 분리되어 세포의 양쪽 끝으로 이동한다.

Keyword

(1) 감수 1분열, 상동 염색체, 생식세포, 염색체 조합

(2) 상동 염색체, 생식세포, 수정, 염색체 조합

완벽한 답안 작성을 위한 tip

(1) 생식세포는 상동 염색체 중 1개씩만을 갖게 되며, 상동 염색체는 유전 정보가 서로 다르다는 것을 설명한다.

(2) 자손의 염색체 조합 가지 수는 정자와 난자의 염색체 조합 가지 수를 곱하여 구한다는 점을 설명한다.

정답과 해설 074쪽

1 [창의적] 문제 해결형

오른쪽 그림은 어떤 동물 수컷에서 얻은 세포 (가)에 들어 있는 모든 염색체를 나타낸 것이다. 이 동물의 성염색체 구성은 사람과 같다. (가)를 참고하여 이 동물의 체세포의 염색체 수, 상염색체 수, 성염색체 구성에 대해 설명하시오.

(가)

Tip
체세포에는 모양과 크기가 같은 상동 염색체가 쌍을 이루고 있고, 생식세포에는 상동 염색체가 없다.

Keyword
상동 염색체, 상염색체, X 염색체, Y 염색체

2 [단계적] 문제 해결형

그림은 정원세포가 정자를 형성하는 과정에서의 핵 1개당 DNA양의 변화를 나타낸 것이다. (단, 정원세포는 정자가 될 수 있는 세포로, 체세포 분열과 생식세포 분열을 한다.)

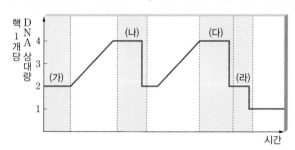

체세포의 염색체 수가 4개인 동물의 정소에서 관찰할 수 있는 A~D 4개 세포의 염색체 배열이 다음과 같을 때 A~D는 (가)~(라) 중 각각 어느 시기에 관찰할 수 있는지 쓰고, 그렇게 판단한 근거를 설명하시오.

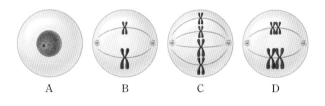

A   B   C   D

Tip
체세포 분열은 DNA 복제를 한 후에 1회 분열한다. 생식세포 분열은 DNA 복제를 한 후에 연속해서 2회 분열하며, 감수 1분열에는 2가 염색체를 형성한다.

Keyword
핵, 체세포 분열, 감수 1분열, 감수 2분열, 상동 염색체, 2가 염색체

3 논리적 서술형

그림은 체세포 분열과 난할을 비교하여 나타낸 것이다.

체세포 분열   난할

(1) 체세포 분열과 난할의 공통점을 한 가지 설명하시오.

_____

_____

(2) 발생 초기에 일어나는 난할의 특징을 체세포 분열과 비교하여 설명하시오.

_____

_____

Tip
난할은 체세포 분열의 일종으로 DNA 복제를 한 후에 염색 분체가 분리된다.

Keyword
(1) DNA 복제, 분열, 염색체 수
(2) 생장, 분열, 세포의 수

4 창의적 문제 해결형

다음은 완두의 콩깍지 모양과 콩깍지 색깔 유전에 관한 자료와 교배 실험 결과이다.

[자료]
• 콩깍지 모양의 대립 형질은 매끈한 것과 잘록한 것이고, 콩깍지 색깔의 대립 형질은 초록색과 노란색이다.
• 콩깍지 모양은 대립유전자 A와 a, 콩깍지 색깔은 대립유전자 B와 b에 의해서 결정되며, A와 B는 각각 a와 b에 대해 우성이다.
• 완두의 콩깍지 모양 유전자와 콩깍지 색깔 유전자는 서로 다른 염색체에 있다.

[교배 실험 결과]

유전자형을 모르는 개체 (가)와 유전자형이 AaBb인 개체 (나)를 교배하여 얻은 자손의 콩깍지 모양과 색깔의 분리비는 표와 같았다.

매끈하고 초록색	매끈하고 노란색	잘록하고 초록색	잘록하고 노란색
3	0	1	0

(가)의 유전자형과 표현형을 쓰고, 그렇게 판단한 근거를 설명하시오.

_____

_____

Tip
유전자가 서로 다른 염색체에 있는 두 가지 형질은 서로 영향을 주지 않고 독립적으로 유전되므로 콩깍지 모양과 콩깍지 색깔 유전을 따로 생각한다.

Keyword
유전자형, 표현형, 우성, 열성

5 〔논리적〕 서술형
그림은 어느 집안의 청각 장애 유전에 대한 가계도이다.

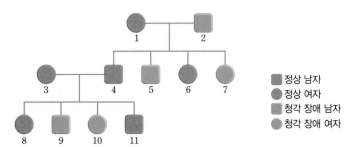

■ 정상 남자
● 정상 여자
■ 청각 장애 남자
● 청각 장애 여자

이 가계도를 분석하여 청각 장애는 정상에 대해 열성이며, 유전자는 상염색체에 있다고 할 때, 그 근거를 설명하시오.

_____

_____

_____

Tip

표현형이 같은 부모에게서 부모와는 다른 표현형을 나타내는 자녀가 태어나면 부모의 형질이 우성이고, 자녀의 형질이 열성이다.

Keyword

부모, 딸, 열성, 상염색체

6 〔단계적〕 문제 해결형
그림은 어느 집안의 어떤 유전병 유전에 대한 가계도이다. (단, 이 유전병의 유전자는 성염색체에 있다.)

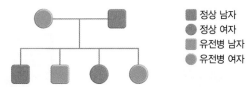

■ 정상 남자
● 정상 여자
■ 유전병 남자
● 유전병 여자

(1) 이 유전병은 우성 형질인지 열성 형질인지 구분하고, 그렇게 생각한 근거를 설명하시오.

_____

_____

(2) 이 유전병 유전의 특징을 남녀에 따른 유전병 발현 비율과 관련지어 설명하시오.

_____

_____

Tip

유전자가 성염색체에 있는 경우 남녀에 따라 형질이 발현되는 비율이 다르다.

Keyword

(1) X 염색체, 유전병, 우성
(2) 남자, 여자, 유전병, 정상

삼색 털

고양이의 비밀

앞발을 들고 있는 고양이 인형을 본 적이 있을 것이다. 손님이나 돈을 부르는 행운의 고양이라는 뜻의 '마네키네코'이다. 이 고양이는 보통 흰색 바탕에 검은색과 주황색을 일부 칠해 놓은 것이 대부분이다. 이것은 세 가지 털 색깔을 가진 수컷 고양이가 행운의 상징으로 여겨지는 것과 관련이 있다.

삼색 털 고양이는 털 색깔이 흰색, 검은색, 주황색의 세 가지를 나타낸다고 해서 붙여진 이름이다. 별도로 존재하는 종이 아니라 어떤 종이든지 털 색깔이 세 가지 색이면 삼색 털 고양이라고 부르는 것이다. 고양이를 기르는 사람들 사이에서 삼색 털 고양이는 털 색깔과 무늬에 따라 칼리코(calico), 톨티(tortie), 톨비(torbie)의 세 종류로 구분된다. 칼리코는 보통 흰색 바탕에 두 색의 반점들이 확실하게 분리되어 나타난 것이고, 톨티는 검은색과 주황색이 바둑 무늬 형태로 나타나는 것으로 마치 거북의 등딱지 무늬 같아 거북 무늬 고양이라고도 한다. 톨비는 세 가지 색깔과 줄무늬 모양이 섞여 있는 것이다. 삼색 털 고양이는 주변에서 흔히 발견되는데, 왜 행운의 상징으로 여겨질 만큼 희귀하다고 하는 것일까? 그것은 우리가 볼 수 있는 삼색 털 고양이의 대부분이 암컷이고, 수컷 삼색 털 고양이는 매우 드물기 때문이다.

칼리코

톨티

톨비

수컷 삼색 털 고양이가 매우 드문 것은 털 색깔 유전자가 있는 염색체와 관련이 있다. 고양이 털 색깔을 구성하는 기본 색은 흰색, 검은색, 주황색이다. 그중에서 흰색 털 대립유전자는 상염색체에 있고, 실제로 흰색은 색깔이 아니라 검은색이나 주황색이 나타나지 않아 흰색이 되는 것이다. 즉, 흰색 털 대립유전자는 검은색이나 주황색이 나타나는 속도를 결정하는 것으로 색깔 발현이 늦어지면 흰색이 되는 것이다. 반면에 검은색 털 대립유전자와 주황색 털 대립유전자는 성염색체인 X 염색체에 있다. 고양이는 성염색체로 암컷은 X 염색체 두 개를 가지지만, 수컷은 X 염색체와 Y 염색체를 한 개씩 갖는다. 사람을 비롯하여 고양이 같은 포유류의 경우 암컷은 배아 단계에서 두 개의 X 염색체 중 하나가 불활성화되며, X 염색체의 불활성화는 세포별로 무작위로 일어난다. 암컷이 가진 두 개의 X 염색체 중 하나에는 검은색 털 대립유전자가 있고 다른 하나에는 주황색 털 대립유전자가 있을 때, 주황색 털 대립유전자가 있는 X 염색체가 불활성화된 세포 집단 부분은 털 색깔이 검은색이 된다. 반대로 검은색 털 대립유전자가 있는 X 염색체가 불활성화된 세포 집단 부분은 털 색깔이 주황색이 된다. 이와 같이 삼색 털 고양이는 검은색 털 대립유전자와 주황색 털 대립유전자가 동시에 있어야 하므로 정상적으로는 X 염색체가 두 개인 암컷에서만 나타나는 것이다.

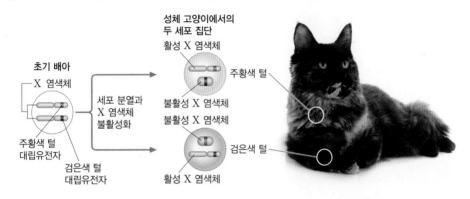

그런데 돌연변이가 일어나서 X 염색체를 두 개 가지고 있어 성염색체 구성이 XXY가 되고, 두 개의 X 염색체에 각각 검은색 털 대립유전자와 주황색 털 대립유전자가 있다면 수컷 삼색 털 고양이가 태어날 수 있다. 이와 같이 돌연변이가 일어나야 하고 X 염색체의 털 색깔 대립유전자 조합이 조건에 맞아야 하므로 수컷 삼색 털 고양이는 매우 드물게 나타나는 것이다. 게다가 이렇게 얻어진 수컷 삼색 털 고양이는 불임이라 자손을 얻을 수도 없어 더욱 희귀하였으므로 이를 행운의 상징으로 여겼을 것이다. 우리나라에서도 흰색 호랑이(백호)를 성스럽게 여기는 풍습이 있었는데, 흰색 호랑이는 돌연변이가 일어나 털 색깔 유전자가 제대로 발현되지 않았을 때 나타난다. 유전학 지식이 부족했던 시기에는 드물게 나타나는 돌연변이 현상을 길조로 여기기도 하고 흉조로 여기기도 했던 것이다.

VI

에너지 전환과 보존

우리가 사용하는 많은 가전제품은 전기 에너지를 이용하여 가동된다. 전기 에너지는 가전제품을 통해 소리 에너지, 빛에너지, 열에너지, 운동 에너지 등으로 전환된다. 이 단원에서는 에너지가 전환되고 보존됨을 배우고, 전기 에너지와 에너지가 전환되는 다양한 사례들을 알아본다.

01 역학적 에너지 전환과 보존

물체를 위로 던지거나 물체가 아래로 떨어질 때 운동 에너지와 위치 에너지는 변한다. 그렇다면 운동 에너지와 위치 에너지의 합인 역학적 에너지는 어떻게 변할까? 또 물체가 운동할 때 역학적 에너지는 보존이 될까?

위치 에너지와 운동 에너지
· (중력에 의한) 위치 에너지: 높은 곳에 있는 물체가 가지는 에너지
$E_{위치} = 9.8 \times 질량 \times 높이$
· 운동 에너지: 운동하는 물체가 가지는 에너지
$E_{운동} = \dfrac{1}{2} \times 질량 \times 속력^2$
과학 용어 사전 161쪽

① 역학적 에너지 전환

1. **역학적 에너지** 위로 던져 올리거나 낙하시킨 물체는 움직이고 있으므로 운동 에너지를 가지고 있고, 높은 곳에 있기 때문에 중력에 의한 위치 에너지도 갖는다. 이때 물체가 가진 위치 에너지와 운동 에너지의 합을 역학적 에너지라고 한다.

> 역학적 에너지＝위치 에너지＋운동 에너지

2. **역학적 에너지 전환** 물체를 위로 던져 올리면 물체의 높이가 높아지면서 속력이 느려지므로 중력에 의한 위치 에너지는 증가하고, 운동 에너지는 감소한다. 즉, 운동 에너지가 위치 에너지로 전환된다. 반면 물체를 낙하시키면 물체의 높이가 낮아지면서 속력이 빨라지므로 중력에 의한 위치 에너지는 감소하고 운동 에너지는 증가한다. 즉, 위치 에너지가 운동 에너지로 전환된다. 이와 같이 운동하는 물체의 위치 에너지와 운동 에너지는 서로 전환되는데, 이를 역학적 에너지 전환이라고 한다.

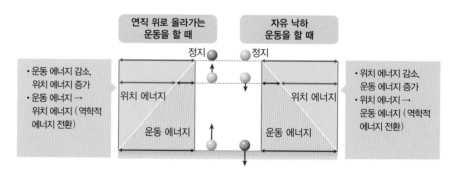

학습 내용 Check

정답과 해설 076쪽

1. 위치 에너지와 운동 에너지의 합을 _____ 에너지라고 한다.

2. 물체를 낙하시키면 위치 에너지는 감소하고 _____는 증가한다. 즉, 위치 에너지가 운동 에너지로 역학적 에너지가 _____되는 것이다.

3. 연직 위로 올라가는 물체에서는 _____ 에너지가 _____ 에너지로 전환된다.

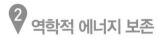

② 역학적 에너지 보존

1. **역학적 에너지 보존** 마찰이나 공기 저항이 없을 경우, 물체가 낙하 운동할 때 감소한 위치 에너지는 운동 에너지로 전환되어 물체의 속력이 빨라진다. 이때 감소한 위치 에너지의 양과 증가한 운동 에너지의 양이 같다. 따라서 어느 위치에서나 위치 에너지와 운동 에너지의 합인 역학적 에너지의 양은 일정하다.

> 역학적 에너지＝위치 에너지＋운동 에너지＝일정
> $$9.8mh=9.8mh_1+\frac{1}{2}mv_1^2=9.8mh_2+\frac{1}{2}mv_2^2=\frac{1}{2}mv^2=일정$$
> h_1 위치에서 역학적 에너지 ──── h_2 위치에서 역학적 에너지

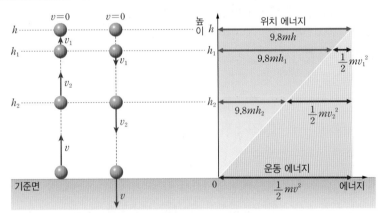

연직 위로 던져 올린 물체의 역학적 에너지 전환

(1) 연직 위로 올라가는 운동을 할 때: 운동 에너지가 위치 에너지로 전환된다. 이때 감소한 운동 에너지는 증가한 위치 에너지와 같다.

$$\frac{1}{2}mv_2^2-\frac{1}{2}mv_1^2=9.8mh_1-9.8mh_2 \rightarrow 9.8mh_2+\frac{1}{2}mv_2^2=9.8mh_1+\frac{1}{2}mv_1^2$$

(2) 자유 낙하 운동을 할 때: 위치 에너지가 운동 에너지로 전환된다. 이때 감소한 위치 에너지는 증가한 운동 에너지와 같다. **탐구** **070**쪽

$$9.8mh_1-9.8mh_2=\frac{1}{2}mv_2^2-\frac{1}{2}mv_1^2 \rightarrow 9.8mh_1+\frac{1}{2}mv_1^2=9.8mh_2+\frac{1}{2}mv_2^2$$

같다.

2. **역학적 에너지 보존 법칙** 마찰이나 공기 저항이 없을 때, 운동하는 물체의 역학적 에너지의 총량은 일정하다. **집중분석** **071**쪽

> **위치 에너지와 운동 에너지가 같을 때의 높이**
>
> 최고 높이의 $\frac{1}{2}$인 지점에서는 위치 에너지가 역학적 에너지의 $\frac{1}{2}$이다. 역학적 에너지는 보존되므로 이곳에서 역학적 에너지의 나머지 $\frac{1}{2}$은 운동 에너지에 해당한다. 따라서 위치 에너지와 운동 에너지가 같을 때는 최고 높이의 $\frac{1}{2}$인 지점이다.

학습 내용 Check

정답과 해설 076 쪽

1. 자유 낙하 운동을 하는 물체의 감소한 _____ 에너지의 양과 증가한 _____ 에너지의 양은 같다. 따라서 어느 위치에서나 역학적 에너지는 보존된다.

2. 운동하는 물체의 역학적 에너지의 총량은 _____ 하다. 이를 역학적 에너지 보존 법칙이라고 한다.

역학적 에너지 보존의 예

1. 롤러코스터의 운동 마찰과 공기 저항이 없다면 역학적 에너지는 보존된다.

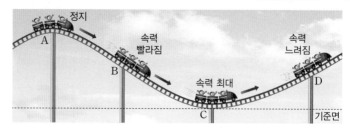

위치	A	B	C	D
위치 에너지	최대	감소	0(최소)	증가
운동 에너지	0(최소)	증가	최대	감소
역학적 에너지 전환	위치 에너지 → 운동 에너지		운동 에너지 → 위치 에너지	
역학적 에너지	일정			

(1) 아래로 내려올 때: 위치 에너지가 운동 에너지로 전환된다.

감소한 위치 에너지=증가한 운동 에너지

(2) 위로 올라갈 때: 운동 에너지가 위치 에너지로 전환된다.

감소한 운동 에너지=증가한 위치 에너지

2. 진자 운동 최고점에서는 위치 에너지가 최대, 최저점에서는 운동 에너지가 최대가 되며, 공기 저항이 없다면 역학적 에너지는 보존된다.

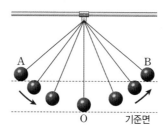

위치	A	→	O	→	B
위치 에너지	최대	감소	0	증가	최대
운동 에너지	0	증가	최대	감소	0
역학적 에너지 전환	위치 에너지 → 운동 에너지		운동 에너지 → 위치 에너지		
역학적 에너지	일정				

(1) 최고점(A, B): 속력은 0, 높이는 최대이므로 위치 에너지는 최대이다.

위치 에너지=역학적 에너지

(2) 최저점(O): 속력은 최대, 높이는 0이므로 운동 에너지가 최대이다.

운동 에너지=역학적 에너지

자료 더하기 **반원형 그릇에서 운동하는 물체의 역학적 에너지**

공기 저항이나 마찰을 무시하면 오른쪽 그림과 같은 반원형 그릇에서 운동하는 물체의 역학적 에너지는 보존된다. 역학적 에너지의 전환 과정은 진자 운동에서와 비슷하다.

A → O	위치 에너지 → 운동 에너지
O → B	운동 에너지 → 위치 에너지

용어 진자

추를 실에 매달아 일정한 시간 간격으로 왕복 운동할 수 있도록 만든 장치이다.

3. 비스듬히 던진 물체의 운동   공기 저항이 없다면 위로 던져 올린 물체의 운동과 같이 역학적 에너지는 보존된다.

중력과 역학적 에너지 전환
비스듬히 던진 물체가 포물선 운동을 할 때 공기 저항을 무시하면 위치 에너지와 운동 에너지가 전환되면서 역학적 에너지가 보존된다. 이처럼 물체가 중력을 받아 운동하는 경우 위치 에너지와 운동 에너지는 서로 전환된다.

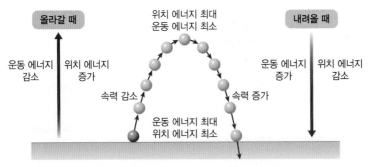

(1) 물체가 위로 올라갈 때: 운동 에너지가 위치 에너지로 전환된다. ─ 속력 감소 / 높이 증가

감소한 운동 에너지＝증가한 위치 에너지

(2) 물체가 아래로 내려올 때: 위치 에너지가 운동 에너지로 전환된다. ─ 속력 증가 / 높이 감소

감소한 위치 에너지＝증가한 운동 에너지

학습 내용 Check

정답과 해설 076 쪽

1. 마찰이 없는 레일에서 롤러코스터가 내려가고 있을 때 _____ 에너지는 _____ 에너지로 전환되며, 두 에너지의 감소량과 증가량은 같아 _____ 에너지는 보존된다.

2. 진자 운동을 하는 물체는 최고점에서 _____ 에너지가 최대이며, 최저점에서는 _____ 에너지가 최대이다.

3. 비스듬히 던져 올린 물체가 위로 올라가는 동안 속력이 (증가 , 감소)하여 운동 에너지는 (증가 , 감소)하고, 높이가 (증가 , 감소)하여 위치 에너지는 (증가 , 감소)한다.

4. 마찰이나 _____이 없다면 운동하는 물체의 역학적 에너지는 항상 보존된다.

🐷 알고 보면 재미있는 과학   운동 경기에서 마찰과 역학적 에너지 보존

역학적 에너지는 마찰이나 공기 저항이 없을 때 보존된다. 그러나 현실에서는 마찰이나 공기 저항을 무시할 수 없으므로 낙하 운동의 경우 위치 에너지의 일부는 운동 에너지로 전환되지 못한다. 그래서 운동 경기에서는 마찰이나 공기 저항을 줄여 역학적 에너지 손실을 최소화시키려고 노력한다. 동계 올림픽의 알파인 스키나 스키 점프 경기에서는 선수가 운동할 때 높은 곳에서의 위치 에너지를 모두 운동 에너지로 전환시켜서 빨리 도착하거나 멀리 날아가야 하므로 스키 바닥에 왁스를 발라 마찰을 줄인다. 봅슬레이는 썰매를 유선형으로 만들어 공기 저항을 줄이고, 무게중심을 조절하여 얼음과 스케이트의 마찰을 조절한다. 이처럼 같은 높이에서 출발해서 더 빨리 결승점에 도달하려면 역학적 에너지의 손실을 최소화하여 위치 에너지를 운동 에너지로 최대한 전환시켜야 한다.

탐구 자유 낙하 운동을 하는 물체의 **역학적 에너지**

자유 낙하 운동을 하는 물체의 역학적 에너지에 관하여 설명할 수 있다.

 과정 및 결과

❶ 투명 플라스틱 관과 자를 스탠드에 연직 방향으로 고정한다.

❷ 바닥에서 50 cm 지점과 0 cm 지점에 속력 측정기를 각각 설치하고 아래에 모래를 넣은 종이컵을 둔다.

❸ 전자저울로 쇠구슬의 질량을 재고 플라스틱 관을 통해 쇠구슬을 떨어뜨려 속력 측정기에 나타난 값을 측정한다. 이 과정을 5번 반복하여 그 평균값을 구한다.

→ 쇠구슬의 질량: 16.5 g

쇠구슬
자
투명
플라스틱
관
속력 측정기
속력 측정기
종이컵

속력 측정기 위치(cm)	측정값(m/s)					평균(m/s)
	1회	2회	3회	4회	5회	
50	3.10	3.17	3.11	3.12	3.13	3.13
0	4.41	4.45	4.44	4.42	4.43	4.43

 유의점 식에 넣어 계산할 때는 cm를 m로, g은 kg으로 변환하여 계산한다. 계산 결과는 소수점 둘째 자리까지 나타낸다.

❹ 각 지점에서 쇠구슬의 위치 에너지, 운동 에너지, 역학적 에너지를 구한다.

높이(cm)	위치 에너지(J)	운동 에너지(J)	역학적 에너지(J)
100	0.16	0	0.16
50	0.08	0.08	0.16
0	0	0.16	0.16

 결과 해석 및 정리

1. 50 cm 지점과 0 cm 지점을 지날 때 위치 에너지 감소량과 운동 에너지 증가량은 같다.

2. 쇠구슬이 자유 낙하 할 때 역학적 에너지는 일정하다.

→ 자유 낙하 할 때 감소한 위치 에너지만큼 운동 에너지가 증가하여 역학적 에너지는 일정하게 보존된다.

탐구 확인 문제

정답과 해설 076쪽

1 빈칸에 알맞은 말을 쓰시오.

(1) 자유 낙하 운동 하는 물체의 _____ 에너지는 _____ 에너지로 전환된다.

(2) 물체가 자유 낙하 운동을 할 때 두 지점 사이의 _____ 에너지 감소량은 _____ 에너지 증가량과 같다.

2 위 탐구에 대한 설명으로 옳은 것은 ○, 옳지 않은 것은 ×로 표시하시오.

(1) 속력 측정기의 위치를 변경해서 측정해도 역학적 에너지는 보존된다. ·· ( )

(2) 가장 높은 위치에서 역학적 에너지가 가장 크다.
·· ( )

3 **적용** 오른쪽 그림은 다이빙하는 선수의 모습을 나타낸 것이다. 낙하하는 순간부터 물에 닿는 순간까지 이 선수의 운동에 대한 설명으로 옳지 않은 것은? (단, 공기 저항과 마찰은 무시한다.)

① 속력이 빨라진다.

② 위치 에너지가 감소한다.

③ 운동 에너지가 증가한다.

④ 역학적 에너지는 보존되지 않는다.

⑤ 감소한 위치 에너지만큼 운동 에너지가 증가한다.

집중분석 · 역학적 에너지 보존을 이용한 문제 해결

자유 낙하 운동 하는 물체나 위로 던져 올린 물체의 운동에서 속력이나 높이는 역학적 에너지 보존을 이용하면 해결할 수 있다. 역학적 에너지 보존을 이용하여 문제를 해결하는 방법을 알아보자.

1 자유 낙하 하는 물체의 운동

질량이 m인 물체가 기준면인 지면으로부터 높이 h에서 자유 낙하 하고 있다. 물체가 지면에 닿는 순간의 속력 v를 구해 보자.

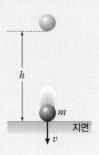

각 위치에서 역학적 에너지와의 관계

높이 h에서 역학적 에너지＝높이 h에서 위치 에너지이고, 지면에서 역학적 에너지＝지면에서 운동 에너지이다.

→ 높이 h에서 위치 에너지＝지면에서 운동 에너지

식 세우기

$9.8mh=\dfrac{1}{2}mv^2$이므로 $v^2=2\times9.8\times h$에서 $v=\sqrt{2\times9.8\times h}$이다.

→ 자유 낙하 하는 물체의 속력은 높이와 관계가 있고 질량과는 관계없다.

2 위로 던져 올린 물체의 운동

질량이 m인 물체를 v의 속력으로 연직 위로 던져 올렸다. 물체가 올라가는 최고점까지의 높이 h를 구해 보자.

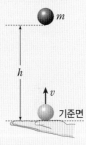

각 위치에서 역학적 에너지와의 관계

처음 위치에서 역학적 에너지＝처음 위치에서 운동 에너지이고, 최고점에서 역학적 에너지＝최고점에서 위치 에너지이다.

→ 처음 위치에서 운동 에너지＝최고점에서 위치 에너지

식 세우기

$\dfrac{1}{2}mv^2=9.8mh$이므로 $h=\dfrac{v^2}{2\times9.8}$이다.

→ 물체가 올라가는 최고 높이는 던진 속력의 제곱에 비례하고 질량과는 관계없다.

3 위치 에너지와 운동 에너지의 비 구하기

질량이 $1\,\mathrm{kg}$인 물체가 지면으로부터 $10\,\mathrm{m}$ 높이에서 자유 낙하 하였다. $2\,\mathrm{m}$ 높이에서 위치 에너지와 운동 에너지의 비를 구해 보자.

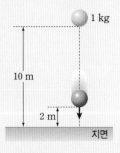

각 위치에서 역학적 에너지와의 관계

$10\,\mathrm{m}$ 높이에서 역학적 에너지＝$10\,\mathrm{m}$ 높이에서 위치 에너지이고, $2\,\mathrm{m}$ 높이에서 역학적 에너지＝위치 에너지＋운동 에너지이다.

식 세우기

위치 에너지는 높이에 비례하므로 $10\,\mathrm{m}$ 높이의 위치 에너지 : $2\,\mathrm{m}$ 높이의 위치 에너지는＝⑤ : 1이다.

→ $2\,\mathrm{m}$ 높이에서 역학적 에너지＝위치 에너지＋운동 에너지이므로
  $2\,\mathrm{m}$ 높이의 위치 에너지 : 운동 에너지＝1 : 4이다.

⑤＝1＋4

심화) 역학적 에너지가 보존되지 않는 상황의 운동

마찰이나 공기 저항이 없다면 물체의 운동에서 역학적 에너지가 보존되지만 현실에서는 마찰이나 공기 저항으로 역학적 에너지의 일부분이 손실된다. 이러한 경우에는 처음 위치에서 역학적 에너지와 나중 위치에서 역학적 에너지의 차이를 구하면 손실된 에너지를 구할 수 있다.

❶ 바닥에서 튀어 오르는 공의 운동

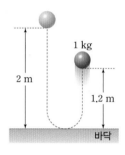

오른쪽 그림과 같이 2 m 높이에서 질량이 1 kg인 공을 가만히 놓아 떨어뜨렸더니 바닥에 충돌한 후 1.2 m 높이까지 올라왔다. 최고점에서의 역학적 에너지는 충돌 후 역학적 에너지와 충돌로 손실된 에너지의 합이다.

2 m 높이에서의 역학적 에너지는 $9.8 \times 1 \times 2 = 19.6$(J)이고, 충돌 후 역학적 에너지는 튀어 올라왔을 때 최고점에서 위치 에너지로, 1.2 m 높이에서 위치 에너지는 $9.8 \times 1 \times 1.2 = 11.76$(J)이다. 따라서 충돌로 손실된 역학적 에너지는 $19.6 \, J - 11.76 \, J = 7.84 \, J$이다.

❷ 마찰이 있는 레일에서 롤러코스터의 운동

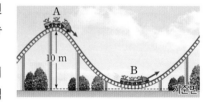

질량이 100 kg인 롤러코스터가 높이가 10 m인 A점에서 속력이 2 m/s이고, B점을 지날 때 속력은 10 m/s였다.

A점에서 역학적 에너지는 B점에서 역학적 에너지와 손실된 에너지의 합이다. A점에서 역학적 에너지는 위치 에너지+운동 에너지$=9.8 \times 100 \times 10 + \frac{1}{2} \times 100 \times 2^2 = 10000$(J)이고, B점에서 역학적 에너지는 위치 에너지가 0이므로 운동 에너지$=\frac{1}{2} \times 100 \times 10^2 = 5000$(J)이다. 따라서 레일과의 마찰로 손실된 역학적 에너지는 $10000 \, J - 5000 \, J = 5000 \, J$이다.

❸ 빗면에서 미끄러지다 멈춘 경우

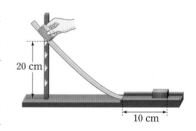

20 cm 높이의 레일 위에 질량이 500 g인 나무 도막을 놓았더니 빗면을 내려간 후 수평면에서 10 cm 이동한 후 멈추었다. 수평면과 나무 도막 사이의 마찰력은 1 N이다.

처음 위치에서 역학적 에너지(위치 에너지)는 레일과의 마찰로 인한 에너지와 바닥에서 마찰력이 한 일의 합이다.

처음 위치에서 나무 도막의 역학적 에너지는 20 cm 높이에서 위치 에너지$=9.8 \times 0.5 \times 0.2 = 0.98$(J)이고, 바닥에서 마찰력이 한 일은 $W = F \times s = 1 \, N \times 0.1 \, m = 0.1 \, J$이다. 따라서 레일과의 마찰로 손실된 역학적 에너지는 $0.98 \, J - 0.1 \, J = 0.88 \, J$이다.

중단원 핵심 정리

01. 역학적 에너지 전환과 보존

1 역학적 에너지 전환

① **역학적 에너지**: 위치 에너지+운동 에너지

② **역학적 에너지 전환**: 운동하는 물체의 높이가 변할 때 물체의 위치 에너지와 운동 에너지는 서로 전환된다.
- 물체가 올라갈 때: 운동 에너지 → 위치 에너지
- 물체가 내려올 때: 위치 에너지 → 운동 에너지

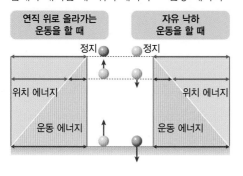

2 역학적 에너지 보존

① 연직 위로 던져 올린 물체의 역학적 에너지 보존

역학적 에너지=위치 에너지+운동 에너지=일정

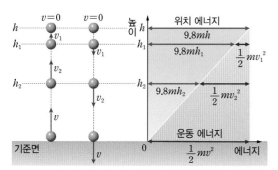

$$9.8mh_1+\frac{1}{2}mv_1{}^2=9.8mh_2+\frac{1}{2}mv_2{}^2=일정$$

② **역학적 에너지 보존 법칙**: 마찰이나 공기 저항이 없을 때, 운동하는 물체의 역학적 에너지의 총량은 일정하다.

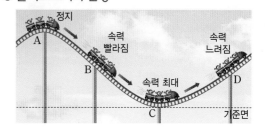
3 역학적 에너지 보존의 예

① 롤러코스터의 운동

위치	A	B	C	D
위치 에너지	최대	감소	0(최소)	증가
운동 에너지	0(최소)	증가	최대	감소
역학적 에너지 전환	위치 에너지 → 운동 에너지		운동 에너지 → 위치 에너지	
역학적 에너지	일정			

② 진자 운동

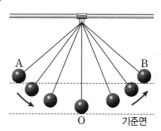

위치	A	→	O	→	B
위치 에너지	최대	감소	0	증가	최대
운동 에너지	0	증가	최대	감소	0
역학적 에너지 전환	위치 에너지 → 운동 에너지		운동 에너지 → 위치 에너지		
역학적 에너지	일정				

③ 비스듬히 던진 물체의 운동
- 위로 올라갈 때: 운동 에너지 → 위치 에너지
- 아래로 내려올 때: 위치 에너지 → 운동 에너지

01 오른쪽 그림은 질량이 1 kg인 공을 가만히 놓아 떨어뜨리는 것을 나타낸 것이다. 공이 1 m 낙하한 지점을 지날 때 공의 운동 에너지는? (단, 공기 저항은 무시한다.)

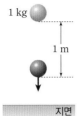

① 4.9 J　　② 9.8 J

③ 10 J　　④ 49 J

⑤ 98 J

[02~03] 오른쪽 그림과 같이 A점에서 공을 가만히 놓았다. (단, 기준면은 지면이고, 공기 저항은 무시한다.)

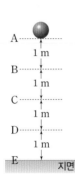

02 물체의 역학적 에너지에 대한 설명으로 옳은 것은?

① A점에서 운동 에너지가 최대이다.

② C점에서 역학적 에너지가 최대이다.

③ E점에서 위치 에너지가 최대이다.

④ B → C 구간에서는 운동 에너지가 증가한다.

⑤ D → E 구간에서는 운동 에너지가 감소한다.

03 A~E 각 점에서 공의 운동에 대한 설명으로 옳은 것을 보기에서 모두 고른 것은?

┌─ 보기 ──────────────────────
ㄱ. C점에서 공의 위치 에너지와 운동 에너지는 같다.

ㄴ. A점에서의 위치 에너지와 D점에서의 운동 에너지는 같다.

ㄷ. B → C 구간에서 감소한 위치 에너지는 C → D 구간에서 증가한 운동 에너지와 같다.
└──────────────────────────────

① ㄱ　　　② ㄴ　　　③ ㄱ, ㄴ

④ ㄱ, ㄷ　　⑤ ㄴ, ㄷ

04 오른쪽 그림과 같이 지면에서 질량이 1 kg인 물체를 10 m/s의 속력으로 연직 위로 던졌더니 높이 h인 지점까지 올라갔다. 물체가 올라가는 도중의 $\dfrac{h}{2}$인 지점에서의 역학적 에너지는? (단, 기준면은 지면이고, 공기 저항은 무시한다.)

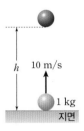

① 4.9 J　　② 9.8 J　　③ 25 J

④ 49 J　　⑤ 50 J

05 그림은 수평면 위에서 v의 속력으로 운동하던 질량이 2 kg인 물체가 곡면을 따라 기준면인 지면으로부터 최고 높이 1 m까지 올라가는 것을 나타낸 것이다.

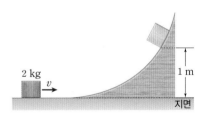

이 물체의 운동에 대한 설명으로 옳은 것을 보기에서 모두 고른 것은? (단, 모든 마찰과 공기 저항은 무시한다.)

┌─ 보기 ──────────────────────
ㄱ. 최고 높이에서 위치 에너지는 19.6 J이다.

ㄴ. 수평면에서 운동 에너지는 19.6 J이다.

ㄷ. v는 $\sqrt{19.6}$ m/s이다.
└──────────────────────────────

① ㄱ　　　② ㄷ　　　③ ㄱ, ㄴ

④ ㄴ, ㄷ　　⑤ ㄱ, ㄴ, ㄷ

06 오른쪽 그림은 공을 연직 위로 던졌을 때 공이 운동하는 모습을 나타낸 것이다. 이에 대한 설명으로 옳지 <u>않은</u> 것은? (단, 공기 저항은 무시한다.)

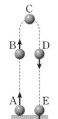

① A점과 E점에서 속력은 같다.

② C점에서 속력은 0이다.

③ B점과 E점의 역학적 에너지는 같다.

④ A → B 구간에서는 위치 에너지가 증가한다.

⑤ C → D 구간에서는 운동 에너지가 감소한다.

07 오른쪽 그림은 반원형 그릇에서 A점에 쇠구슬을 놓았을 때 쇠구슬이 운동하는 모습을 나타낸 것이다. 이에 대한 설명으로 옳은 것은? (단, A, B는 높이가 같고, 모든 마찰과 공기 저항은 무시한다.)

① A점에서 운동 에너지는 최대이다.

② B점에서 위치 에너지가 최소이다.

③ O점에서 속력이 가장 빠르다.

④ A → O 구간에서는 운동 에너지가 감소한다.

⑤ O → B 구간에서는 위치 에너지가 감소한다.

08 오른쪽 그림은 스키 선수가 비탈면을 내려오는 모습을 나타낸 것이다. 이 선수의 운동에 대한 설명으로 옳은 것은? (단, 모든 마찰과 공기 저항은 무시한다.)

① 위치 에너지가 감소한다.

② 운동 에너지는 일정하다.

③ 역학적 에너지는 증가한다.

④ 위치 에너지가 감소하면서 역학적 에너지는 증가한다.

⑤ 운동 에너지가 감소하면서 위치 에너지는 증가한다.

[09~11] 그림은 롤러코스터가 A점에서 출발하여 레일을 따라 미끄러져 가는 것을 나타낸 것이다. (단, 모든 마찰과 공기 저항은 무시한다.)

09 롤러코스터가 운동하는 동안 운동 에너지가 위치 에너지로 전환되는 구간은?

① A → B 구간 ② A → C 구간 ③ B → C 구간

④ C → D 구간 ⑤ 없다.

10 운동하는 동안 롤러코스터의 속력이 가장 빠른 지점은?

① A ② B ③ C

④ D ⑤ 모두 같다.

11 운동하는 동안 롤러코스터의 역학적 에너지에 대한 설명으로 옳은 것을 보기에서 모두 고른 것은?

┌─ 보기 ─────────────────────────────┐

ㄱ. A점과 C점에서의 역학적 에너지는 같다.

ㄴ. B점에서 역학적 에너지는 D점에서 위치 에너지와 같다.

ㄷ. C → D 구간에서는 역학적 에너지가 감소한다.

└────────────────────────────────┘

① ㄱ ② ㄴ ③ ㄱ, ㄴ

④ ㄱ, ㄷ ⑤ ㄴ, ㄷ

12 오른쪽 그림은 물체를 연직 위로 던져 올리는 모습을 나타낸 것이다. 물체가 위로 올라가는 동안, 물체의 역학적 에너지에 대한 설명으로 옳은 것을 보기에서 모두 고른 것은? (단, 공기 저항은 무시한다.)

보기
ㄱ. 위치 에너지가 운동 에너지로 전환된다.
ㄴ. 역학적 에너지는 점점 감소한다.
ㄷ. 최고점에서 물체의 운동 에너지는 0이다.

① ㄱ   ② ㄷ   ③ ㄱ, ㄴ
④ ㄱ, ㄷ   ⑤ ㄴ, ㄷ

13 그림과 같이 마찰이 없는 레일 위에서 운동하던 물체가 A점과 B점을 지나 C점까지 올라갔다.

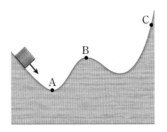

A, B, C점 중에서 물체의 운동에 대한 설명으로 옳은 것을 보기에서 모두 고른 것은? (단, 공기 저항은 무시한다.)

보기
ㄱ. 물체의 속력이 가장 빠른 곳은 A이다.
ㄴ. 물체의 운동 에너지가 가장 큰 곳은 B이다.
ㄷ. 물체의 역학적 에너지가 가장 작은 곳은 C이다.

① ㄱ   ② ㄴ   ③ ㄱ, ㄴ
④ ㄱ, ㄷ   ⑤ ㄴ, ㄷ

14 그림은 질량이 1 kg인 물체가 최고점 A를 v의 속력으로 통과한 후, 마찰이 없는 레일을 따라 최저점 B를 5 m/s의 속력으로 통과하는 것을 나타낸 것이다. 최고점과 최저점의 높이 차는 1 m이다.

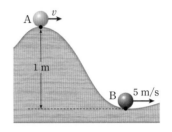

이때 A점에서 운동 에너지는? (단, 공기 저항은 무시한다.)

① 1 J   ② 2.7 J   ③ 5.4 J
④ 9.8 J   ⑤ 19.6 J

[15~16] 오른쪽 그림과 같이 질량이 m인 물체 A, B를 각각 기준면인 지면으로부터 $2h$, h의 높이에서 가만히 놓아 낙하 운동을 하도록 하였다. (단, 공기 저항은 무시한다.)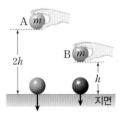

15 지면에 닿는 순간 두 물체 A, B의 운동 에너지의 비(A : B)는?

① 1 : 1   ② 1 : 2   ③ 2 : 1
④ 3 : 2   ⑤ 4 : 1

16 두 물체 A, B의 운동에 대한 설명으로 옳은 것을 보기에서 모두 고른 것은?

보기
ㄱ. 손을 놓기 직전 위치 에너지는 A가 B보다 크다.
ㄴ. 역학적 에너지는 A가 B의 2배이다.
ㄷ. A가 높이 h를 지날 때 위치 에너지와 B가 높이 h에 정지해 있을 때 위치 에너지는 같다.

① ㄱ   ② ㄴ   ③ ㄱ, ㄷ
④ ㄴ, ㄷ   ⑤ ㄱ, ㄴ, ㄷ

[01~02] 그림은 마찰이 없는 레일에서 쇠구슬이 운동하는 것을 나타낸 것이다. 쇠구슬은 A, B, C점을 지나 D점에서 멈추었다. (단, 공기 저항은 무시한다.)

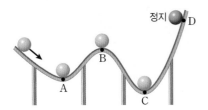

01 A~D점 중에서 이 물체의 운동에 대한 설명으로 옳은 것을 보기에서 모두 고른 것은?

┌─ 보기 ─────────────────────┐
ㄱ. A점에서 위치 에너지가 가장 크다.
ㄴ. B점에서 운동 에너지가 가장 크다.
ㄷ. C점과 D점에서의 역학적 에너지는 같다.
└──────────────────────────┘

① ㄱ   ② ㄴ   ③ ㄷ
④ ㄱ, ㄴ   ⑤ ㄴ, ㄷ

02 물체가 운동하는 동안 역학적 에너지에 대한 설명으로 옳지 않은 것은?

① A → B 구간에서 위치 에너지가 증가한다.
② B → C 구간에서 운동 에너지가 증가한다.
③ C → D 구간에서 위치 에너지가 증가한다.
④ A → C 구간에서 증가한 운동 에너지는 C → D 구간에서 증가한 위치 에너지와 같다.
⑤ B → C 구간에서 감소한 위치 에너지는 이 구간에서 증가한 운동 에너지와 같다.

03 오른쪽 그림은 물체를 높이 H인 지점에서 가만히 놓았더니 물체가 h 지점을 지나는 것을 나타낸 것이다. 물체의 위치 에너지가 운동 에너지의 4배가 되는 높이 h는? (단, 공기 저항은 무시한다.)

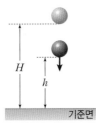

① $\frac{1}{8}H$ ② $\frac{1}{5}H$ ③ $\frac{1}{4}H$ ④ $\frac{3}{4}H$ ⑤ $\frac{4}{5}H$

04 그림은 지면으로부터 $3h$ 높이에 정지해 있던 물체가 지면으로부터 $2h$ 높이의 A점, h 높이의 B점을 지나 지면으로 낙하하는 모습을 나타낸 것이다.

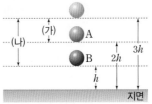

이에 대한 설명으로 옳은 것을 보기에서 모두 고른 것은? (단, 공기 저항은 무시한다.)

┌─ 보기 ─────────────────────┐
ㄱ. 속력은 B점에서가 A점에서의 2배이다.
ㄴ. 위치 에너지는 A점에서가 B점에서의 2배이다.
ㄷ. 감소한 위치 에너지는 (나) 구간에서가 (가) 구간에서의 2배이다.
└──────────────────────────┘

① ㄱ   ② ㄴ   ③ ㄱ, ㄴ
④ ㄱ, ㄷ   ⑤ ㄴ, ㄷ

05 오른쪽 그림은 같은 높이 h에서 질량이 각각 m, $2m$인 물체 A, B를 자유 낙하시키는 것을 나타낸 것이다. 이에 대한 설명으로 옳은 것을 보기에서 모두 고른 것은? (단, 기준면은 지면이고, 공기 저항은 무시한다.)

┌─ 보기 ─────────────────────┐
ㄱ. 높이 h에서 위치 에너지는 B가 A의 2배이다.
ㄴ. 지면에 닿는 순간 역학적 에너지는 A와 B가 같다.
ㄷ. B가 지면으로부터 $\frac{h}{2}$ 지점에 있을 때 운동 에너지는 A의 역학적 에너지와 같다.
└──────────────────────────┘

① ㄱ   ② ㄴ   ③ ㄱ, ㄴ
④ ㄱ, ㄷ   ⑤ ㄴ, ㄷ

서술형 문제

01. 역학적 에너지 전환과 보존

☞ 제시된 Keyword를 이용하여 문제를 해결해 보자.

1 그림과 같이 질량이 같은 두 물체 A, B가 같은 속력 v로 서로 다른 방향으로 운동하고 있다.

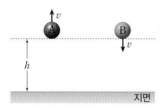

기준면인 지면에서 각 물체의 운동 에너지의 크기를 각각 E_A, E_B라고 할 때 그 크기를 등호 또는 부등호로 비교하고, 그 까닭을 설명하시오. (단, 공기 저항은 무시한다.)

Keyword 위치 에너지, 운동 에너지, 역학적 에너지

_____

_____

_____

2 표는 기준면인 지면으로부터 20 m 높이에서 질량이 2 kg인 물체를 가만히 놓았을 때 각 지점에서 물체의 위치 에너지와 운동 에너지를 나타낸 것이다.

지면으로부터 높이	물체의 위치 에너지(J)	물체의 운동 에너지(J)
20 m	392	0
10 m	(㉠)	(㉡)
0	(㉢)	392

표에서 빈칸 ㉠, ㉡, ㉢에 들어갈 값을 쓰고 그 까닭을 역학적 에너지 보존을 이용해서 설명하시오. (단, 공기 저항은 무시한다.)

Keyword 위치 에너지, 운동 에너지, 역학적 에너지 보존

_____

_____

3 그림은 바닥으로부터 같은 높이에 있는 두 지점에서 정지해 있던 동일한 구슬 A, B를 서로 다른 경로를 따라 운동하도록 한 것이다. (단, 모든 마찰과 공기 저항은 무시한다.)

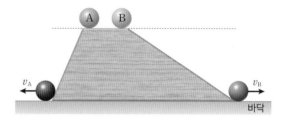

(1) 바닥에서 두 구슬의 속력 v_A, v_B를 등호 또는 부등호로 비교하고, 그 까닭을 설명하시오.

Keyword 역학적 에너지, 위치 에너지, 운동 에너지

_____

_____

(2) 바닥에서 두 구슬의 역학적 에너지 E_A, E_B의 크기를 등호 또는 부등호로 비교하고, 그 까닭을 설명하시오.

Keyword 역학적 에너지 보존

_____

_____

4 오른쪽 그림과 같이 질량이 2 kg인 물체를 14 m/s의 속력으로 던져 올렸더니 지면으로부터 9.5 m 높이까지 올라갔다. 물체의 운동 과정에서 역학적 에너지가 보존되는지 여부와 그 까닭을 설명하시오.

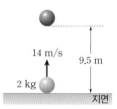

Keyword 역학적 에너지 보존, 운동 에너지, 위치 에너지

_____

_____

5 그림은 실에 매단 물체의 운동을 나타낸 것이고, 표는 물체의 속력과 높이에 따른 운동 에너지와 위치 에너지 변화를 나타낸 것이다. A, B는 기준면으로부터 같은 높이이다.

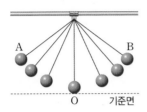

구분	A	→	O	→	B
속력	0	증가	최대	감소	0
높이	최대	감소	0	증가	최대
운동 에너지	0	㉠	최대	감소	0
위치 에너지	최대	감소	0	㉡	최대

㉠, ㉡에 들어갈 단어를 쓰고, 이 물체의 운동에서 역학적 에너지가 보존되는지 그 까닭과 함께 설명하시오. (단, 모든 마찰과 공기 저항은 무시한다.)

Keyword 역학적 에너지 보존

_____

_____

_____

6 다음은 질량이 각각 m, $2m$인 물체 A, B를 같은 높이 h에서 가만히 놓았을 때 A, B의 역학적 에너지에 대한 설명이다. (단, 공기 저항은 무시한다.)

> 처음 높이에서 A의 위치 에너지는 $9.8mh$이고 B의 위치 에너지는 $2 \times 9.8mh$이므로 B의 역학적 에너지가 A의 2배이다. 바닥에 닿는 순간 운동 에너지는 역학적 에너지와 같으므로 바닥에 닿는 순간의 속력은 B가 A의 2배가 된다.

<u>잘못된</u> 부분을 찾고 그 까닭을 설명하시오.

Keyword 위치 에너지, 운동 에너지

_____

_____

_____

7 오른쪽 그림은 물체를 지면으로부터 20 m 높이인 A에서 자유 낙하 시켰을 때 8 m 지점인 B를 통과하는 것을 나타낸 것이다. 다음은 B에서 위치 에너지와 운동 에너지의 비를 구하는 풀이 과정이다.

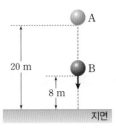

> 위치 에너지는 높이에 비례하므로 A에서 위치 에너지 : B에서 위치 에너지=20 : 8이다. 또한 B에서 위치 에너지 : 운동 에너지=8 : 12=2 : 3이다.
> ㉠

㉠을 알 수 있는 이유를 다음 용어를 사용하여 설명하시오.

> 역학적 에너지, 운동 에너지, 위치 에너지

Keyword 역학적 에너지, 운동 에너지, 위치 에너지

_____

_____

_____

8 그림은 공을 떨어뜨린 후 같은 시간 간격으로 공의 운동을 촬영한 것이다.

공이 튕겨 올라오는 높이가 점점 낮아지는 까닭을 역학적 에너지로 설명하시오.

Keyword 역학적 에너지, 운동 에너지, 위치 에너지

_____

_____

_____

02 전기 에너지의 발생과 이용

우리가 사용하는 전기 에너지는 발전소에서 만들어진다. 이렇게 생산된 전기 에너지는 각종 가전 제품에서 다양한 다른 에너지로 전환하여 이용한다. 전기 에너지의 발생 원리와 전기 에너지를 효율적으로 사용할 수 있는 방법은 무엇일까?

① 전기 에너지의 발생

1. **여러 가지 에너지** 운동하는 물체가 가지고 있는 운동 에너지, 높은 곳에 있는 물체가 가지고 있는 위치 에너지 외에도 다음과 같은 에너지가 있다.

⑴ **화학 에너지**: 석유나 천연가스 같은 연료가 가진 에너지로, 우리가 먹는 음식물 속에도 있다. 이를 이용해 사람은 체온을 유지하고 활동에 필요한 에너지를 얻는다.

⑵ **소리 에너지**: 우리의 귀에 들리는 소리는 물체의 진동으로 발생해서 공기 등을 통해 전달되는 파동으로, 소리도 에너지를 가진다.

⑶ **빛에너지**: 태양이나 조명에서 나오는 에너지로, 우리가 사물을 볼 수 있는 것도 빛에너지가 있기 때문이다. 빛에너지는 진공에서도 전달된다.

⑷ **열에너지**: 물체의 온도나 상태를 변화시키는 에너지로, 태양이 가진 에너지 중 빛에너지와 열에너지는 지구에 있는 대부분의 에너지의 원천이 된다.
> 과학 용어 사전 162쪽

⑸ **핵에너지**: 우라늄의 원자핵에 저장되어 있는 에너지로, 주로 원자력 발전에 사용된다.

⑹ **전기 에너지**: 전자의 이동으로 일을 하거나 다른 에너지를 발생시킬 수 있는 에너지로, 다른 에너지로 전환하기 쉽고 편리하다.

2. **전자기 유도** 코일 주위에서 자석이 움직이거나 자석 주위에서 코일이 움직이면 코일을 지나는 자기장이 변하면서 코일에 전류가 흐르는 현상이다.
> 과학 용어 사전 161쪽

⑴ **유도 전류**: 전자기 유도에 의해 코일에 흐르는 전류

전자기 유도가 일어날 때		전자기 유도가 일어나지 않을 때
자석을 움직일 경우 N 전류가 흐른다.	코일을 움직일 경우 N 전류가 흐른다.	정지 S 전류가 흐르지 않는다.
자석이나 코일을 움직여, 자석과 코일이 상대적인 운동을 하면 전자기 유도가 일어난다. → 유도 전류가 흐른다.		자석과 코일이 모두 정지해 있으면 전자기 유도가 일어나지 않는다. → 유도 전류가 흐르지 않는다.

패러데이(Faraday, M., 1791~1867)

영국의 물리학자이자 화학자로, 전자기학과 전기 화학 분야에 큰 기여를 하였다. 특히, 코일과 자석을 이용한 전자기 유도 현상의 중요한 법칙을 발견하였다.
> 과학 용어 사전 162쪽

(2) **유도 전류의 방향**: 코일에 자석을 가까이 할 때와 멀리 할 때 전류는 <u>서로 반대 방향</u>

<u>으로 흐른다.</u>

<small>검류계 바늘이 반대 방향으로 움직인다.</small>

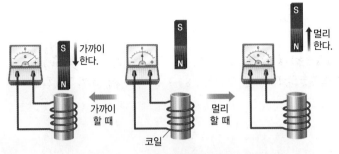

(3) **전자기 유도의 이용**: 코일 내부의 자기장이 변할 때 전류가 발생하는 현상은 다양하

게 이용된다.

자가 발전 손전등	운동 기구	발광 킥보드
손전등을 반복적으로 흔들면 전구에 불이 들어온다.	발로 페달을 돌리면 전기가 발생한다.	바퀴가 굴러가면 발광 다이오드에 불이 들어온다.

3. 발전기 전자기 유도를 이용해 코일을 회전시켜 전기 에너지를 얻는 장치이다.

(1) **발전기의 구조와 원리**: 자석 사이에서 코일이 회전하면 코일의 단면을 통과하는 자

기장이 변하여 코일에 유도 전류가 발생한다.

(2) **발전기에서 에너지 전환**: 코일이 자석 사이에서 회전하여 전기 에너지가 발생하므로

<mark>역학적 에너지가 전기 에너지로 전환</mark>된다.

자기력선

코일의 회전으로 자기장이 변함

↓ 에너지 전환

유도 전류 (전기 에너지) 발생

정답과 해설 080 쪽

학습 내용 Check

1. 석유나 천연가스 등이 가진 에너지를 _____ 에너지라고 한다.

2. 자석을 코일 주위에서 움직이면 코일에 _____ 가 흐른다.

3. 코일에 자석을 가까이 할 때와 멀리 할 때 코일에 흐르는 전류의 방향은 (같은 , 반대) 방향이다.

4. 전자기 유도 현상을 이용하여 코일을 회전시켜 전기 에너지를 만드는 장치를 _____ 라고 한다.

유도 전류의 세기
코일의 단면을 지나는 자기장의 변화와 코일의 감은 수에 각각 비례한다. 이를 패러데이 법칙이라고 한다.

발전기와 전동기의 구조

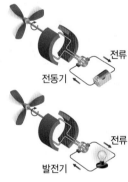

전류

전동기

전류

발전기

전동기와 발전기는 구조는 같지만, 전동기는 전기 에너지를 운동 에너지로, 발전기는 운동 에너지를 전기 에너지로 전환하는 장치이다.

② 전기 에너지의 전환과 이용

1. 전기 에너지의 발생과 에너지 전환 일상에서 사용하는 전기 에너지는 주로 발전소에서 화학 에너지, 핵에너지, 역학적 에너지, 빛에너지 등 다양한 에너지원을 이용해서 생산된다. 과학 용어 사전 162쪽

구분	화력 발전	수력 발전	풍력 발전
발전 원리	연료를 태워 물을 가열하고, 이때 발생하는 높은 압력의 수증기로 발전기를 회전시킨다.	댐에 있는 물을 흘려 보내 발전기를 회전시킨다.	바람의 힘으로 발전기를 회전시킨다.
에너지 전환 과정	연료의 화학 에너지 → 발전기의 역학적 에너지 → 전기 에너지	물의 역학적 에너지 → 발전기의 역학적 에너지 → 전기 에너지	바람의 역학적 에너지 → 발전기의 역학적 에너지 → 전기 에너지

이 과정에서 전자기 유도 현상이 일어난다.

2. 가정에서 전기 에너지의 전환

(1) **전기 에너지의 이용**: 전기 에너지는 다른 에너지에 비해 다양한 장점을 가지고 있다.

① 다른 에너지로의 변환 효율이 높다. → 변환 과정에서 열에너지로의 손실이 적다.

② 운반하기 쉽다. → 전선을 통해 빠르게 에너지를 보낼 수 있다.

③ 분배와 제어가 쉽다. → 전선, 변압기, 스위치 등을 이용해 편리하게 나눌 수 있다.

④ 비교적 안전하고 공해가 적다.

(2) **가정에서 전기 에너지의 전환**: 전기 에너지는 여러 가지 가전제품에서 다양한 에너지로 전환되어 편리하게 이용된다.

구분	전등	토스터기	청소기
가전제품			
주로 전환되는 에너지	빛에너지, 열에너지	열에너지	운동 에너지, 소리 에너지

구분	스피커	세탁기	선풍기
가전제품			
주로 전환되는 에너지	소리 에너지	운동 에너지	운동 에너지

에너지원에 따른 발전

화력 ⟩ 증기

수력 ⟩ 물 ⟩ 터빈 ⟩ 발전기

핵 ⟩ 증기

발전 원리
- 핵발전: 우라늄과 같은 물질이 가진 핵에너지를 이용해서 전기 에너지를 생산한다.
- 태양광 발전: 태양의 빛에너지를 이용해서 전기 에너지를 생산한다. 이때 태양의 빛에너지가 직접 전기 에너지로 전환된다.
- 지열 발전: 지표 아래의 열에너지를 이용해서 전기 에너지를 생산한다.
- 조력 발전: 밀물과 썰물 때의 수위 차인 조수 간만의 차를 이용해서 전기 에너지를 생산한다.

3. 에너지의 전환과 보존

(1) 에너지 전환: 에너지는 한 형태에서 다른 형태로 전환될 수 있다.

(2) 에너지 보존: 에너지 전환 과정에서 에너지는 새로 생기거나 소멸되지 않고 그 총량은 일정하게 보존된다. 이를 에너지 보존 법칙이라고 한다.

전기 자동차	선풍기

전기 에너지가 운동 에너지로 전환될 뿐만 아니라 일부는 열에너지로 전환되고, 라디오를 켜거나 전조등을 밝히지만 총 에너지는 보존된다.	전기 에너지가 선풍기 날개를 회전시킬 뿐만 아니라 바람이 생기고, 소리와 열이 발생한다. 이 과정에서 총 에너지는 보존된다.

전기 에너지의 전환 과정에서 에너지 보존

헤어드라이어에 공급된 전기 에너지 1000 J은 공기의 운동 에너지와 열에너지, 소리 에너지 등으로 모두 전환된다. 이때 새로 생기거나 소멸되는 에너지는 없이 에너지의 총량은 일정하다.

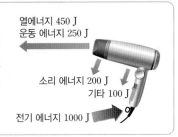

열에너지 450 J
운동 에너지 250 J

소리 에너지 200 J
기타 100 J

전기 에너지 1000 J

풍력 발전기
바람의 운동 에너지가 전기 에너지뿐만 아니라 여러 가지 에너지로 전환되지만 총량은 일정하다.

통과한 바람의 운동 에너지 50
100 바람의 운동 에너지
10 열에너지
10 소리 에너지, 역학적 에너지
30 전기 에너지
단위: %

자료＋더하기 휴대 전화에서 전기 에너지 전환

빛에너지
화면에서 빛이 난다.

소리 에너지
스피커에서 소리가 난다.

열에너지
휴대 전화가 뜨거워진다.

운동 에너지
휴대 전화가 진동한다.

전기 에너지

휴대 전화를 사용할 때 전기 에너지의 전환

휴대 전화를 여러 가지 용도로 사용할 때, 이용하는 전기 에너지의 주요 전환 과정은 표와 같다.

사용 용도	이용하는 전기 에너지의 주요 전환
화면 표시	전기 에너지 → 빛에너지
음악 듣기	전기 에너지 → 소리 에너지
진동 알림	전기 에너지 → 운동 에너지

학습 내용 Check

정답과 해설 080 쪽

1. 수력 발전은 물의 _____ 에너지가 _____ 에너지로 전환되는 것이다.

2. _____ 에너지는 여러 가전제품에서 다양한 에너지로 전환되어 편리하게 이용된다.

3. 전등에서는 전기 에너지가 _____와 열에너지로 전환된다.

4. 한 형태의 에너지는 다른 형태의 에너지로 _____될 수 있으며, 이 과정에서 에너지의 총량이 일정하게 보존되는 것을 _____이라고 한다.

③ 소비 전력과 전력량

1. 소비 전력 1초 동안 사용한 전기 에너지로, 소비 전력이 클수록 더 많은 전기 에너지를 사용한다.

$$소비 전력(W) = \frac{전기 에너지(J)}{시간(s)}$$

(1) 소비 전력의 단위: W(와트), kW(킬로와트) 등
   • 1 W: 1초 동안 1 J의 전기 에너지를 사용할 때의 소비 전력이다. — 1 W=1 J/s=0.001 kW

(2) 소비 전력의 표기: 모든 전기 기구에는 전기 기구가 안정적으로 작동되는 전압과 이때 소비되는 전력이 표시되어 있다. **탐구 086쪽**
   ① 정격 전압: 전기 기구가 작동되는 전압이다.
   ② 소비 전력: 정격 전압이 공급되었을 때 소비되는 전력이다.

전기용품 안전관리법
• 품명 및 형명: 전기보온밥솥 SJ-042
• 정 격 전 압: AC 220 V/60 Hz
• 정격소비전력: 취사 350 W
• 형 식 승 인: ⓣ6-7-6337

전기밥솥의 소비 전력 표시

(3) 소비 전력과 에너지 전환: 같은 용도로 사용하더라도 사용 과정에서 불필요하게 낭비되는 에너지가 많은 전기 기구일수록 소비 전력이 크다. → 같은 성능을 내더라도 소비 전력이 더 작은 전기 기구를 사용하면 더 적은 전기 에너지를 소비한다.

> **효율에 따른 에너지 전환**
> 오른쪽 그림에서 밝기가 같은 형광등과 LED등은 매초당 6 J의 같은 양의 빛에너지를 방출하지만 형광등이 LED등보다 더 많은 전기 에너지를 소비한다.
> 형광등은 공급된 전기 에너지의 50 %를 빛에너지로 전환하지만, LED등은 75 %를 전환한다.
>
>
>
> 빛에너지(6 J) / 열에너지(6 J) / (가) / 전기 에너지(12 J) / **형광등**
> 빛에너지(6 J) / 열에너지(2 J) / (나) / 전기 에너지(8 J) / **LED등**

2. 전력량 일정 시간 동안 사용한 전기 에너지의 양

$$전력량(Wh) = 소비 전력(W) \times 시간(h)$$

(1) 단위: Wh(와트시), kWh(킬로와트시) 등
   • 1 Wh: 1 W의 전기 기구를 1시간 동안 사용했을 때 전기 에너지의 양
     $1 \text{ Wh} = 1 \text{ W} \times 1 \text{ h} = 1 \text{ W} \times 3600 \text{ s} = 3600 \text{ J}$, $1 \text{ kWh} = 1000 \text{ Wh}$

(2) 전력량의 측정: 각 가정에서 사용한 전기 에너지의 양은 전력량계로 측정한다.

소비 전력과 가전제품
• 소비 전력이 큰 가전제품: 전기 에너지를 열에너지로 전환하여 사용하는 난방기기나 전기밥솥과 같은 조리기기, 에어컨과 같은 냉방기기 등은 소비 전력이 큰 편이다.
• 소비 전력이 작은 가전제품: 휴대폰, 노트북 컴퓨터, 블루투스 스피커 등 소형 가전제품과 음향기기, 전등과 같은 조명기기, 인터넷 공유기 등의 통신 기기 등은 소비 전력이 작은 편이다.

전력량계
가정에서 사용한 전력량을 측정하여 일정 기간 동안 사용한 소비 전력량을 누적해서 표시하는 장치이다.

3. 에너지 효율 관리 제도　전기 제품의 에너지 효율을 표시하는 제도

(1) **에너지 소비 효율 등급 표시**: 에너지를 효율적으로 이용하는 정도를 1등급에서 5등급으로 구분하여 이를 표시한다. 1등급으로 갈수록 전기 에너지를 효율적으로 이용하는 가전제품이다.

(2) **대기전력 저감 프로그램**: 사용하지 않는 대기 시간에 낭비되는 에너지를 대기전력이라고 하고, 대기전력이 적은 전기 제품 생산을 유도하는 제도이다.

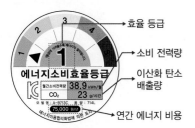

에너지 소비 효율 등급 표시

대기전력 저감 인증 표시

자료 더하기　가전제품의 전력량 계산

다음은 가전제품별로 전기를 사용한 자료이다.

가전제품	수량	소비 전력	1일 사용 시간(h)	월간 전력량
TV	1	150 W	4	18 kWh
에어컨	1	1800 W	4	216 kWh
냉장고	1	100 W	24	72 kWh
컴퓨터	2	100 W	5	30 kWh
진공 청소기	1	100 W	0.2	0.6 kWh
휴대폰 충전기	2	10 W	8	4.8 kWh

TV의 경우 1일 동안 사용한 전력량은 150 W × 4 h = 600 Wh이고, 한 달을 30일이라고 할 때 월간 전력량은 600 Wh × 30 = 18000 Wh = 18 kWh이다. 이런 방식으로 전력량을 계산할 수 있다.

학습 내용 Check

정답과 해설 080 쪽

1. 1초 동안 사용한 전기 에너지를 ＿＿＿＿＿이라고 하며, 단위로는 ＿＿＿＿＿를 사용한다.

2. 성능이 같더라도 소비 전력이 (큰 , 작은) 전기 기구를 선택하면 전기 에너지를 절약할 수 있다.

3. 전기 기구의 ＿＿＿＿과 사용한 시간의 곱을 ＿＿＿＿＿이라고 하고, 단위로는 ＿＿＿＿＿를 사용한다.

4. 소비 전력이 100 W인 컴퓨터를 2시간 동안 30일 사용했을 때, 전력량은 ＿＿＿＿＿이다.

탐구 가정에서 사용하는 가전제품의 소비 전력 비교

여러 가지 가전제품의 소비 전력을 조사하고 비교할 수 있다.

❶ 가정에서 사용하는 가전제품을 쓰고, 각 가전제품에서 주로 전환되는 에너지의 종류와 소비 전력을 조사한다.

가전제품	전환되는 에너지	소비 전력	가전제품	전환되는 에너지	소비 전력
텔레비전	빛에너지	150 W	컴퓨터	빛에너지	100 W
진공청소기	운동 에너지	1200 W	전기난로	열에너지	2500 W
다리미	열에너지	2400 W	조명	빛에너지	25 W

❷ 한 종류의 가전제품을 선택하여 용량이나 크기에 따라 소비 전력이 어떻게 다른지 조사한다.

가전제품	크기	소비 전력
텔레비전 (LCD)	65인치	172 W
	70인치	194 W
	75인치	216 W

결과 해석 및 정리

1. 가전제품마다 전환되는 에너지의 종류가 같더라도 소비 전력은 다르다.
2. 같은 종류의 전기 기구라도 용량이나 크기에 따라 소비 전력이 다르다.

탐구 확인 문제

정답과 해설 080쪽

1 빈칸에 알맞은 말을 고르시오.
(1) (1초, 1시간)동안 사용하는 전기 에너지를 소비 전력이라고 한다.
(2) 소비 전력이 (클, 작을)수록 전기 에너지를 더 많이 사용한다.

2 위 탐구에 대한 설명으로 옳은 것은 ○, 옳지 않은 것은 ×로 표시하시오.
(1) 소비 전력의 단위는 W(와트)이다. ……………… ( )
(2) 주로 열에너지로 전환되는 가전제품은 빛에너지로 전환되는 가전제품에 비해 소비 전력이 크다. …… ( )
(3) 텔레비전 화면의 크기나 세탁기의 용량은 소비 전력과는 관계가 없다. …………………………… ( )

3 (적용) 그림과 같은 선풍기의 소비 전력은 40 W이고, 에어컨의 소비 전력은 2000 W이다.

선풍기와 에어컨의 소비 전력과 전기 에너지에 대한 설명으로 옳은 것은?
① 선풍기의 전기 에너지 사용량이 항상 적다.
② 에어컨의 전기 에너지 사용량이 항상 많다.
③ 선풍기 50대와 에어컨 1대의 소비 전력이 같다.
④ 선풍기는 1시간당 40 J의 전기 에너지를 사용한다.
⑤ 같은 시간 동안 사용할 때 에어컨이 더 적은 전기 에너지를 사용한다.

심화

전자기 유도에서 유도 전류의 방향

전자기 유도 현상에서 유도 전류는 자기장의 변화를 방해하는 방향으로 흐른다. 다음의 다양한 경우에 오른손을 이용하여 유도 전류의 방향을 알아보자.

① 자석이 코일에 다가갈 때

유도 전류는 자기장의 변화를 방해하는 방향이므로 자석이 다가오면 이를 방해하는 방향, 즉 자석을 밀어내기 위해 같은 극을 만드는 방향으로 유도 전류가 흐른다.

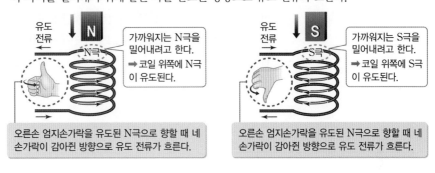

② 자석이 코일에서 멀어질 때

자석이 멀어지면 이를 방해하는 방향, 즉 자석을 끌어당기기 위해 다른 극을 만드는 방향으로 유도 전류가 흐른다.

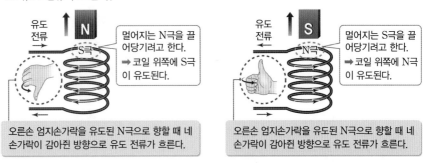

③ 일정한 자기장 속으로 코일이 움직일 때

P점에서 사각형 코일이 종이면에 수직으로 들어가는 방향(⊗)의 자기장이 형성된 곳으로 들어가면, 코일을 통과하는 자기장이 생긴다. 이 자기장의 변화를 방해하기 위해 종이면에서 수직으로 나오는 자기장을 만들도록 반시계 방향으로 유도 전류가 흐른다. Q점에서는 자기

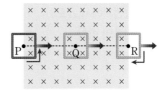

장의 변화가 없으므로 유도 전류가 흐르지 않고, R점에서는 P점과 반대로 자기장이 사라지므로 자기장이 줄어들지 않도록 종이면에 수직으로 들어가는 방향의 자기장을 만들도록 유도 전류가 흐른다. 따라서 시계 방향으로 유도 전류가 흐른다.

심화) 발전기에서 전자기 유도

발전소에서 전기를 생산하는 발전기에서는 코일이나 자석이 회전하는 역학적 에너지가 전기 에너지로 전환되고, 이 과정에서 전자기 유도가 이용된다. 발전기에서 전자기 유도에 의해 전기 에너지가 만들어지는 과정을 자세히 알아보자.

① 발전기의 구조와 원리

발전기의 내부에는 매우 센 자석과 코일이 있다. 자기장이 형성되어 있는 자석 사이에서 코일이 회전할 때, 코일의 단면을 수직으로 통과하는 자기장이 시간에 따라 변한다. 이때 전자기 유도에 의해 코일에 전류가 흐르게 된다.

② 발전기에서 자기장의 변화

전자기 유도에 의해 유도 전류가 흐르기 위해서는 자석과 코일의 상대적인 운동이 있어야 한다. 즉, 코일을 통과하는 자기장의 변화가 있어야 한다. 발전기에서는 코일이 회전하면서 자기장이 통과하는 면적이 커졌다 줄어들었다 하며 코일을 통과하는 자기장의 세기가 변화하는 것과 같은 효과를 얻는다.

0°일 때	45° 회전했을 때	90° 회전했을 때	135° 회전했을 때

③ 발전기에서 유도 전류의 방향

발전기에서 코일을 통과하는 자기장의 세기는 주기적으로 계속 변하므로 유도 전류의 방향도 주기적으로 바뀐다. 이렇게 전류의 방향이 주기적으로 바뀌는 것을 교류라고 한다.

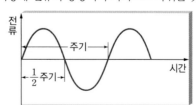

중단원 핵심 정리

① 전기 에너지의 발생

① 여러 가지 에너지
- 화학 에너지: 석유나 천연가스 같은 연료가 가진 에너지
- 소리 에너지: 물체의 진동으로 발생해서 공기 등을 통해 전달된 소리가 가진 에너지
- 빛에너지: 태양이나 조명에서 나오는 에너지
- 열에너지: 물체의 온도나 상태를 변화시키는 에너지
- 핵에너지: 우라늄 등의 원자핵에 저장되어 있는 에너지
- 전기 에너지: 전자의 이동으로 일을 하거나 다른 에너지를 발생시킬 수 있는 에너지

② **전자기 유도**: 코일과 자석의 상대적인 운동에 의해 코일에 전류가 흐르는 현상
- 유도 전류: 전자기 유도에 의해 흐르는 전류
- 유도 전류의 방향: 코일에 자석을 가까이 할 때와 멀리 할 때 전류는 서로 반대 방향으로 흐른다.

③ **전자기 유도의 이용**: 자가 발전 손전등, 운동 기구 등
④ **발전기**: 전자기 유도를 이용해서 전기 에너지를 얻는 장치
- 발전기의 원리: 자석 사이에서 **코일이 회전**하면 코일의 단면을 통과하는 **자기장이 변하여** 코일에 유도 전류가 발생한다.
- 발전기에서 에너지 전환: **역학적 에너지 → 전기 에너지**

② 전기 에너지의 전환과 이용

① 전기 에너지의 발생 과정에서 에너지 전환
- 화력 발전 : 화석 연료의 화학 에너지 → 전기 에너지
- 수력 발전: 물의 역학적 에너지 → 전기 에너지
- 풍력 발전: 바람의 역학적 에너지 → 전기 에너지

② 가전제품에서 전기 에너지의 전환
- 전등: 전기 에너지 → 빛에너지, 열에너지
- 청소기: 전기 에너지 → 운동 에너지, 소리 에너지
- 세탁기: 전기 에너지 → 운동 에너지

③ 에너지의 전환과 보존: 다양한 에너지는 다른 형태의 에너지로 전환될 수 있으며, 에너지 전환 과정에서 새로 생기거나 소멸되지 않고 그 총량은 일정하게 보존된다. → 에너지 보존 법칙

③ 소비 전력과 전력량

① **소비 전력**: 1초 동안 사용한 전기 에너지

$$\text{소비 전력(W)} = \frac{\text{전기 에너지(J)}}{\text{시간(s)}}$$

- 단위: W(와트), kW(킬로와트) 등
- 소비 전력과 에너지 전환: 사용 과정에서 불필요하게 낭비되는 에너지가 많은 전기 기구일수록 소비 전력이 크다.

② **전력량**: 일정 시간 동안 사용한 전기 에너지의 양

$$\text{전력량(Wh)} = \text{소비 전력(W)} \times \text{시간(h)}$$

- 단위: Wh(와트시), kWh(킬로와트시) 등

③ 에너지 효율 관리 제도: 전기 제품의 에너지 효율을 표시하는 제도
- 에너지 소비 효율 등급 표시
- 대기전력 저감 프로그램

01 다음은 어떤 에너지에 대한 설명이다.

> 가정에서 가장 많이 이용하는 형태의 에너지로, 전자의 이동으로 일을 하거나 다른 에너지로 전환되기 쉽고 편리하다.

이 에너지에 해당하는 것은?

① 핵에너지　　　　　　② 전기 에너지
③ 화학 에너지　　　　　④ 소리 에너지
⑤ 열에너지

02 오른쪽 그림은 전자기 유도 실험을 나타낸 것이다. 전구의 불이 켜지는 경우를 보기에서 모두 고른 것은?

> 보기
> ㄱ. 자석을 코일에서 멀리 할 때
> ㄴ. 자석을 코일에 가까이 할 때
> ㄷ. 자석을 코일 속에 넣고 가만히 있을 때

① ㄱ　　　　② ㄴ　　　　③ ㄱ, ㄴ
④ ㄱ, ㄷ　　　⑤ ㄴ, ㄷ

03 다음은 발전기의 구조와 원리를 설명한 것이다. ㉠, ㉡, ㉢에 들어갈 말을 옳게 연결한 것은?

> 발전기는 자석과 코일로 구성되어 코일이 회전하면서 (㉠) 원리에 의해 (㉡)이(가) 흘러 역학적 에너지가 (㉢)로 전환되는 장치이다.

	㉠	㉡	㉢
①	전자기 유도	유도 전류	전기 에너지
②	정전기 유도	소비 전력	전기 에너지
③	소비 전력	전자기 유도	전기 에너지
④	전력량	전자기 유도	화학 에너지
⑤	에너지 보존	유도 전류	화학 에너지

04 오른쪽 그림은 코일을 회전시켜 전류를 발생시키는 발전기의 원리를 나타낸 것이다. 이 방법으로 전기를 생산하는 발전 방식을 보기에서 모두 고른 것은?

> 보기
> ㄱ. 수력 발전　　　　　ㄴ. 화력 발전
> ㄷ. 풍력 발전　　　　　ㄹ. 태양광 발전

① ㄱ, ㄴ　　② ㄱ, ㄷ　　③ ㄴ, ㄷ
④ ㄱ, ㄴ, ㄷ　　⑤ ㄴ, ㄷ, ㄹ

05 그림은 댐에서 수력 발전으로 전기를 생산하는 과정을 나타낸 것이다.

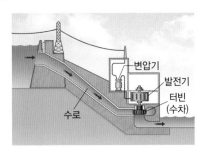

이에 대한 설명으로 옳은 것을 보기에서 모두 고른 것은?

> 보기
> ㄱ. 물의 높이차가 클수록 전기 에너지를 많이 생산한다.
> ㄴ. 물의 화학 에너지가 전기 에너지로 전환된다.
> ㄷ. 발전기의 터빈에서는 전자기 유도 원리를 이용한다.

① ㄴ　　　　② ㄷ　　　　③ ㄱ, ㄴ
④ ㄱ, ㄷ　　　⑤ ㄱ, ㄴ, ㄷ

06 다음의 전기 기구에서 주로 일어나는 전기 에너지의 전환이 나머지와 <u>다른</u> 경우는?

① 전기 난로　　　　　② 전동기
③ 전기 주전자　　　　④ 헤어드라이어
⑤ 토스터기

07 텔레비전을 볼 때 전기 에너지는 여러 가지 에너지로 전환된다. 이때 전환되어 나타나는 에너지를 보기에서 모두 고른 것은?

> **보기**
>
> ㄱ. 빛에너지　　　　　ㄴ. 열에너지
> ㄷ. 핵에너지　　　　　ㄹ. 화학 에너지
> ㅁ. 소리 에너지　　　　ㅂ. 역학적 에너지

① ㄱ, ㄴ, ㅁ　　　　② ㄱ, ㄷ, ㄹ
③ ㄱ, ㅁ, ㅂ　　　　④ ㄴ, ㄷ, ㄹ
⑤ ㄷ, ㅁ, ㅂ

08 에너지가 전환되는 과정을 나타낸 예로 옳지 <u>않은</u> 것은?

① 형광등: 전기 에너지 → 빛에너지
② 선풍기: 전기 에너지 → 운동 에너지
③ 건전지: 전기 에너지 → 열에너지
④ 전기 자동차: 전기 에너지 → 운동 에너지
⑤ 수력 발전소: 역학적 에너지 → 전기 에너지

09 그림은 헤어드라이어를 사용할 때 에너지가 전환되는 과정을 나타낸 것이다.

이에 대한 설명으로 옳은 것을 보기에서 모두 고른 것은?

> **보기**
>
> ㄱ. C는 열에너지이다.
> ㄴ. B, C, D를 모두 합한 값은 A의 값과 같다.
> ㄷ. 헤어드라이어의 전원을 끄면 B, C, D는 A로 전환된다.

① ㄱ　　② ㄷ　　③ ㄱ, ㄴ
④ ㄴ, ㄷ　　⑤ ㄱ, ㄴ, ㄷ

10 그림은 전기 에너지를 다양한 형태의 에너지로 전환하여 이용하는 것을 나타낸 것이다.

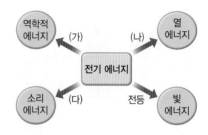

주로 (가), (나), (다)의 전환 과정을 거치는 전기 기구를 옳게 연결한 것은?

	(가)	(나)	(다)
①	세탁기	다리미	스피커
②	전기 자동차	건전지	텔레비전
③	휴대 전화	전기 난로	이어폰
④	전동기	스피커	전기 난로
⑤	안마기	전기 장판	전자레인지

11 표는 몇 가지 가전제품에서 전환되는 주요 에너지와 소비 전력을 나타낸 것이다.

가전제품	전환되는 주요 에너지	소비 전력
텔레비전	빛에너지	150 W
세탁기	운동 에너지	150 W
진공 청소기	(㉠)	1200 W
다리미	열에너지	2400 W

이에 대한 설명으로 옳은 것을 보기에서 모두 고른 것은?

> **보기**
>
> ㄱ. ㉠은 빛에너지이다.
> ㄴ. 세탁기와 텔레비전을 같은 시간 동안 사용하면 같은 양의 전기 에너지를 소모한다.
> ㄷ. 진공 청소기를 10분 동안 사용하는 것과 다리미를 5분 동안 사용하는 것은 같은 전기 에너지를 소모한다.

① ㄱ　　② ㄷ　　③ ㄱ, ㄴ
④ ㄴ, ㄷ　　⑤ ㄱ, ㄴ, ㄷ

[12~13] 그림은 가정에서 사용하는 가전제품의 소비 전력과 전원에 연결된 모습을 나타낸 것이다.

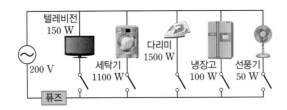

12 각 가전제품의 사용에 대한 설명으로 옳은 것을 보기에서 모두 고른 것은?

┌ 보기 ──────────────────────────────
ㄱ. 1초당 가장 많은 전기 에너지를 사용하는 것은 다리미이다.
ㄴ. 텔레비전과 선풍기를 같은 시간 동안 사용할 때 텔레비전이 더 많은 전기 에너지를 사용한다.
ㄷ. 냉장고를 하루 종일 사용할 때와 세탁기를 2시간 동안 사용할 때 같은 양의 전기 에너지를 사용한다.
└──────────────────────────────────

① ㄱ   ② ㄴ   ③ ㄷ
④ ㄱ, ㄴ   ⑤ ㄴ, ㄷ

13 다음은 가전제품을 하루 동안 사용한 시간을 나타낸 것이다.

가전제품	텔레비전	세탁기	다리미	냉장고
사용 시간	1시간	1시간	30분	24시간

이때 사용한 총 전력량은?

① 1.2 kWh   ② 2.4 kWh
③ 4.4 kWh   ④ 5.2 kWh
⑤ 6.0 kWh

[14~15] 그림은 형광등과 LED 전구가 단위 시간당 사용하는 전기 에너지와 전환된 에너지를 나타낸 것이다.

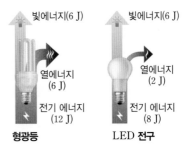

14 이에 대한 설명으로 옳은 것을 보기에서 모두 고른 것은?

┌ 보기 ──────────────────────────────
ㄱ. 두 전구는 같은 양의 전기 에너지를 사용한다.
ㄴ. 형광등은 전기 에너지의 절반만 필요한 에너지로 전환된다.
ㄷ. LED 전구는 공급된 전기 에너지의 $\frac{1}{3}$이 열에너지로 낭비된다.
└──────────────────────────────────

① ㄱ   ② ㄴ   ③ ㄱ, ㄴ
④ ㄱ, ㄷ   ⑤ ㄴ, ㄷ

15 형광등과 LED 전구의 에너지 효율에 대한 설명으로 옳은 것은?

① 두 전구의 소비 전력은 같다.
② 두 전구는 같은 양의 빛에너지를 낸다.
③ LED 전구보다 형광등의 에너지 효율이 높다.
④ 같은 시간 동안 사용한다면 LED 전구에서 더 많은 열이 발생한다.
⑤ 같은 시간 동안 사용한다면 LED 전구가 더 많은 전기 에너지를 사용한다.

정답과 해설 081쪽

01 그림은 발전기의 구조를 나타낸 것이다.

발전기의 구조와 원리에 대한 설명으로 옳지 <u>않은</u> 것은?

① 전자기 유도 현상을 이용한 것이다.

② 역학적 에너지가 전기 에너지로 전환된다.

③ 코일이 회전하여 코일에 유도 전류가 발생한다.

④ 코일에는 일정한 방향의 유도 전류가 흐른다.

⑤ 역학적 에너지는 보존되지 않지만 에너지는 보존된다.

02 그림은 연료의 화학 에너지를 소비하는 어떤 자동차에서의 에너지 전환을 나타낸 것이다.

이에 대한 설명으로 옳은 것을 보기에서 모두 고른 것은?

┌ 보기 ─────────────────────────
ㄱ. 연료의 에너지가 전환되는 과정에서 에너지는 보존된다.
ㄴ. 타이어와 지면의 마찰열로 전환되는 에너지가 많을수록 효율이 높다.
ㄷ. 자동차가 움직이는 데 사용되는 에너지는 연료의 20 %이다.
└──────────────────────────────

① ㄱ   ② ㄴ   ③ ㄷ

④ ㄱ, ㄴ   ⑤ ㄴ, ㄷ

03 그림은 텔레비전에서 에너지 전환 과정을 나타낸 것이다.

이에 대한 설명으로 옳은 것은?

① 역학적 에너지는 보존된다.

② 전환 과정에서 에너지는 소멸된다.

③ A는 화학 에너지로 30 %가 전환된다.

④ 텔레비전의 기능과 관계없는 기능으로 40 %가 낭비된다.

⑤ A를 줄일 수 있다면 좀 더 효율적으로 전기 에너지를 사용할 수 있다.

04 그림은 어느 가정의 전기요금 청구서를 나타낸 것이다.

이에 대한 설명으로 옳은 것을 보기에서 모두 고른 것은? (단, 1 kWh당 전기 요금은 100원으로 가정한다.)

┌ 보기 ─────────────────────────
ㄱ. kWh는 소비 전력의 단위이다.
ㄴ. 당월 전기 요금은 12400원이다.
ㄷ. 전월보다 전기 에너지의 사용량이 늘었다.
└──────────────────────────────

① ㄱ   ② ㄴ   ③ ㄷ

④ ㄱ, ㄴ   ⑤ ㄴ, ㄷ

02. 전기 에너지의 발생과 이용

☞ 제시된 Keyword를 이용하여 문제를 해결해 보자.

1 그림은 바퀴를 구르면 빛이 나는 킥보드의 원리를 나타낸 것이다. 전구를 연결한 코일 옆에서 세 개의 막대자석을 고정시킨 바퀴를 회전시키면 전구에 불이 켜진다.

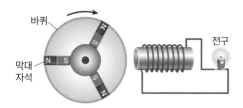

바퀴가 회전하면 전구에 불이 켜지는 과정을 에너지 전환 과정으로 설명하시오.

Keyword 전자기 유도, 운동 에너지, 전기 에너지

_____

_____

_____

2 오른쪽 그림은 자석이 낙하하여 코일이 감긴 유리관 속을 통과하는 것을 나타낸 것이다. 통과하면서 각각의 전구에 불이 켜졌다. a, b, c점에서 자석의 역학적 에너지를 각각 E_a, E_b, E_c라고 할 때 세 값의 크기를 등호 또는 부등호로 비교하고 그 까닭을 설명하시오.

Keyword 역학적 에너지, 전기 에너지

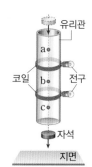

_____

_____

_____

3 그림은 고정된 자석 앞에 원형 도선을 붙인 진동판을 나타낸 것으로 마이크의 원리를 그림으로 나타낸 것이다.

마이크에서 일어나는 에너지 전환을 설명하시오.

Keyword 소리 에너지, 전기 에너지, 에너지 전환

_____

_____

4 그림은 풍력 발전기에서 전기 에너지를 생산할 때 에너지 전환 비율을 나타낸 것이다.

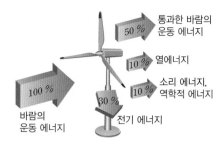

(1) 발전 과정에서 역학적 에너지가 보존되는지 그 까닭과 함께 설명하시오.

Keyword 바람의 운동 에너지, 역학적 에너지 보존

_____

_____

(2) 발전 과정에서 에너지가 보존되는지 그 까닭과 함께 설명하시오.

Keyword 바람의 운동 에너지, 에너지 보존

_____

_____

5 그림과 같은 수력 발전소에서는 에너지원을 사용하여 전기 에너지를 생산한다.

수력 발전의 원리와 이 과정에서 에너지 전환 과정을 설명하시오.

Keyword 발전기, 역학적 에너지, 전기 에너지

_____

_____

_____

6 그림 (가)는 3분 동안 헤어드라이어로, (나)는 20분 동안 선풍기로 각각 머리를 말리는 것을 나타낸 것이다.

(가)   (나)

(가), (나) 중 전기 에너지를 더 적게 사용하는 것을 고를 수 있는지 여부와 위 두 상황을 바탕으로 소비 전력 개념이 필요한 까닭을 설명하시오.

Keyword 전기 에너지, 소비 전력

_____

_____

7 표는 제조사별 텔레비전의 소비 전력을 나타낸 것으로 크기는 같아도 제조사별로 소비 전력이 다르다. 그림은 에너지 소비 효율 등급 표시를 나타낸 것이다.

제조사	크기	소비 전력
A 전자회사	40인치	120 W
B 전자회사	40인치	150 W
C 전자회사	40인치	140 W

전기 에너지의 효율적 사용을 위해 정부가 에너지 소비 효율 등급 표시 제도를 사용하는 까닭을 에너지 전환 개념을 이용하여 설명하시오.

Keyword 에너지 소비 효율, 에너지 소비 효율 등급

_____

_____

_____

8 그림은 사용하지 않는 노트북 컴퓨터를 전원에 연결한 채로 둔 모습을 열화상 카메라로 촬영한 것을 나타낸 것이다.

대기전력을 줄여야 하는 까닭을 에너지 전환 개념을 이용하여 설명하시오.

Keyword 전기 에너지, 열에너지

_____

_____

_____

최상위권 도전 문제

☞ 제시된 Tip을 참고하여 문제를 해결해 보자.

VI. 에너지 전환과 보존

1 그림과 같이 A점에 정지해 있는 물체가 곡선 ABC를 따라 미끄러져 내려와서 C점에서 튀어 올랐다. 곡선 면은 O점을 중심으로 한 반지름이 5 m인 원호이고 A점과 O점은 같은 높이에 있다. ∠BOC는 60°이다.

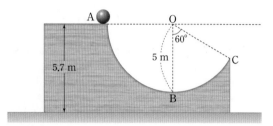

이 물체가 C점을 떠날 때의 속력은? (단, 모든 마찰과 공기 저항은 무시한다.)

① 2 m/s   ② 3 m/s   ③ 5 m/s

④ 6 m/s   ⑤ 7 m/s

Tip

• 양변의 길이가 같고 사잇각이 60°이면 나머지 한 변을 연결할 경우 정삼각형이 된다.

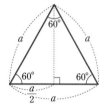

• 감소한 위치 에너지는 증가한 운동 에너지와 같다.

2 그림은 상공에서 스카이다이빙을 하는 사람이 지면에 내려오는 동안 시간에 따른 속력을 나타낸 것이다.

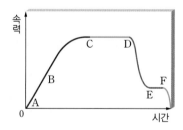

이에 대한 설명으로 옳은 것을 보기에서 모두 고른 것은?

보기

ㄱ. A → B 구간에서는 위치 에너지가 운동 에너지로 전환된다.

ㄴ. C → D 구간에서는 역학적 에너지가 보존되지 않는다.

ㄷ. D → E 구간에서 낙하산이 펴졌다.

① ㄱ   ② ㄴ   ③ ㄱ, ㄷ

④ ㄴ, ㄷ   ⑤ ㄱ, ㄴ, ㄷ

Tip

그래프에서 속력이 일정하게 증가하는 구간, 속력이 일정한 구간, 속력이 갑자기 줄어드는 구간을 스카이다이빙과 연결지어 생각해 본다.

3 그림과 같이 마찰이 없는 빗면 위의 A점에서 물체가 미끄러져 B점과 C점을 지나고 있다. 높이 h_1에서 굴러 내려온 물체가 B점을 지날 때 속력이 v였다.

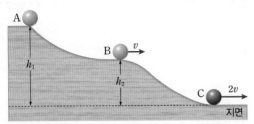

물체가 지면(C)에 도달할 때 속력이 $2v$라면 $\dfrac{h_2}{h_1}$는? (단, 공기 저항은 무시한다.)

① $\dfrac{1}{4}$ ② $\dfrac{1}{2}$ ③ $\dfrac{3}{4}$

④ 1   ⑤ 4

Tip
역학적 에너지는 보존되므로 세 지점에서의 역학적 에너지는 같다.

4 그림 (가)는 자유 낙하 하는 물체의 낙하 거리에 따른 역학적 에너지의 변화를 나타낸 것이고, (나)는 이 물체의 낙하 시간에 따른 역학적 에너지의 변화를 나타낸 것이다. E_p는 위치 에너지를, E_k는 운동 에너지를 나타낸다.

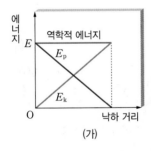
(가)

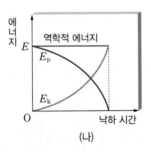
(나)

이에 대한 설명으로 옳은 것을 보기에서 모두 고른 것은?

보기
ㄱ. (가)에서 위치 에너지와 운동 에너지가 같은 곳은 총 낙하 높이의 중간 지점임을 알 수 있다.
ㄴ. (나)에서 낙하하는 동안 운동 에너지가 시간에 따라 일정하게 증가함을 알 수 있다.
ㄷ. (가), (나)에서 역학적 에너지가 보존됨을 알 수 있다.

① ㄱ   ② ㄴ   ③ ㄱ, ㄷ
④ ㄴ, ㄷ   ⑤ ㄱ, ㄴ, ㄷ

Tip
위치 에너지는 높이에 비례하므로 낙하 거리에 따른 에너지 그래프는 기울기가 일정하다.
물체가 낙하할 때 속력이 점점 빨라지므로 낙하 시간에 따른 운동 에너지 그래프는 기울기가 점점 커진다.

5 그림은 검류계가 연결된 코일을 스탠드에 고정시키고 일정한 높이 h에서 자석을 떨어뜨려 코일의 중심을 통과시키는 것을 나타낸 것이다.

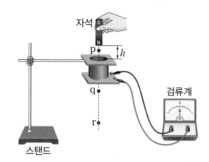

이에 대한 설명으로 옳은 것을 보기에서 모두 고른 것은?

보기

ㄱ. 자석이 p점을 지날 때와 q점을 지날 때 검류계에 흐르는 유도 전류의 방향은 반대이다.

ㄴ. 자석을 $2h$에서 떨어뜨리면 유도 전류의 세기는 증가한다.

ㄷ. 자석의 역학적 에너지는 p, q, r점에서 모두 같다.

① ㄱ   ② ㄷ   ③ ㄱ, ㄴ

④ ㄴ, ㄷ   ⑤ ㄱ, ㄴ, ㄷ

Tip
자석이 코일에 들어갈 때와 나갈 때 자석의 운동을 방해하는 방향으로 유도 전류가 흐른다. 따라서 코일에 자석의 N극을 가까이 하면 자석을 밀어내기 위해 코일에서 자석의 N극과 가까운 쪽이 N극이 되도록 코일에 전류가 흐른다. 같은 방식으로 코일에 자석의 S극을 멀리 하면 자석을 끌어당기기 위해 코일에서 자석의 S극과 가까운 쪽이 N극이 되도록 코일에 전류가 흐른다.

6 그림과 같이 자석의 N극을 아래로 하여 경사면 위의 A점에 가만히 놓았더니 자석이 미끄러져 내려가 수평면의 B점과 코일을 통과하여 C점에서 멈추었다. 코일 중심에서 B점과 C점까지 거리는 같다.

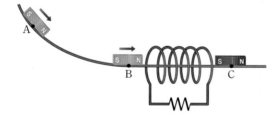

이에 대한 설명으로 옳은 것을 보기에서 모두 고른 것은?

보기

ㄱ. 자석이 운동하는 동안 자석의 역학적 에너지는 보존된다.

ㄴ. 자석이 B점을 지나는 순간 유도 전류의 세기는 C점을 지나는 순간보다 세다.

ㄷ. A점에서 자석의 역학적 에너지는 전기 에너지와 열에너지로 모두 전환되었다.

① ㄱ   ② ㄴ   ③ ㄱ, ㄷ

④ ㄴ, ㄷ   ⑤ ㄱ, ㄴ, ㄷ

Tip
마찰이 있는 면에서 물체가 운동할 때 마찰로 인해 역학적 에너지가 열에너지로 전환됨을 고려해야 한다.

7 오른쪽 그림은 굵기와 길이가 같은 플라스틱 관, 알루미늄 관, 구리관의 같은 높이에서 각각 동일한 자석을 떨어뜨리는 모습을 나타낸 것이다. 자석이 관을 통과하는 데 걸린 시간은 구리관에서가 알루미늄 관에서보다 길다. 자석이 떨어지는 순간부터 관 아래쪽 끝을 지나는 순간까지에 대한 설명으로 옳은 것을 보기에서 모두 고른 것은?

자석
플라스틱 관
알루미늄 관
구리 관

┌─ 보기 ─────────────────────────────────────┐
ㄱ. 구리관에서는 자석의 전기 에너지의 일부가 역학적 에너지로 전환된다.
ㄴ. 자석이 관을 통과하는 데 걸린 시간은 플라스틱 관에서가 가장 짧다.
ㄷ. 자석의 감소한 역학적 에너지는 구리관에서가 알루미늄 관에서보다 작다.
└──┘

① ㄱ   ② ㄴ   ③ ㄱ, ㄷ
④ ㄴ, ㄷ   ⑤ ㄱ, ㄴ, ㄷ

▽Tip
자석을 금속관에 떨어뜨릴 때 금속관의 표면이 마치 코일과 같아서 표면으로 유도 전류가 흐른다.

●맴돌이 전류
도체 주변의 자기장이 시간에 따라 변화할 때 전자기 유도에 의해 도체에 생기는 소용돌이 형태의 전류이다.

8 그림은 가정에서 사용하는 다양한 가전제품의 소비 전력과 연결 상태를 나타낸 것이다.

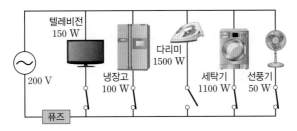

텔레비전 150 W
다리미 1500 W
냉장고 100 W
세탁기 1100 W
선풍기 50 W
200 V
퓨즈

이 상태에서 다리미를 사용하기 위해 스위치를 닫았을 때 증가하는 물리량을 모두 고른 것은?

┌─ 보기 ─────────────────────────────────────┐
ㄱ. 전체 저항   ㄴ. 전체 전압
ㄷ. 전체 전류   ㄹ. 전체 소비 전력
└──┘

① ㄱ   ② ㄴ   ③ ㄱ, ㄷ
④ ㄴ, ㄹ   ⑤ ㄷ, ㄹ

▽Tip
가전제품은 저항과 같으므로 저항의 병렬연결에서 저항 한 개를 추가할 경우의 상황을 고려한다.

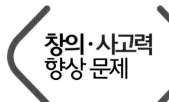
예제

출제 의도
위치 에너지와 운동 에너지를 개념적으로 이해하고 있는가?

그림은 질량이 같은 두 공 (가), (나)가 각각 마찰이 없는 ABC 경로와 DEF 경로를 지나는 것을 나타낸 것이다. 두 공은 A, D점을 같은 속력으로 동시에 통과하였다. (단, 모든 마찰과 공기 저항은 무시한다.)

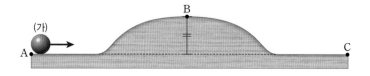

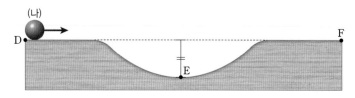

(1) A~F점에서 물체의 속력이 가장 빠른 위치를 고르고, 그 까닭을 역학적 에너지 보존으로 설명하시오.

(2) (가), (나) 중 C점과 F점에 어떤 공이 더 빨리 도달하는지 생각해 보고 그 까닭을 설명하시오.

문제 해결을 위한 배경 지식
• **운동 에너지**: 운동하는 물체가 가진 에너지로, 물체의 질량과 속력의 제곱에 각각 비례한다.
• **위치 에너지**: 높은 곳에 있는 물체가 가진 에너지로, 물체의 질량과 높이에 각각 비례한다.
• **역학적 에너지**: 위치 에너지와 운동 에너지의 합으로, 공기 저항과 마찰이 없다면 보존된다.

▶▶ 해결 전략 클리닉 ◀◀

마찰이 없는 면이므로 역학적 에너지가 보존된다. 역학적 에너지 보존 법칙에서 운동 에너지와 위치 에너지 변화를 고려하여 문제를 해결해야 한다.

❶ 위치 에너지의 기준점을 A, D점으로 하면 이때 물체의 속력은 같으므로 역학적 에너지도 같다.

❷ 물체의 속력이 빠른 곳은 운동 에너지가 커야 하므로 위치 에너지는 제일 작은 곳이다.

❸ C, F점에 빨리 도달하는 것은 B, E점을 지나는 동안 물체의 속력에 의해 결정된다.

❹ B점은 속력이 제일 느린 곳이며, E점은 제일 빠른 곳이므로 평균 속력을 고려한다.

<u>Keyword</u>
(1) 역학적 에너지 보존, 운동 에너지
(2) 역학적 에너지 보존

▶ 모범 답안 ◀

(1) 역학적 에너지가 보존되므로 높이가 가장 낮은 E점의 운동 에너지가 가장 크다. 따라서 E점에서 속력이 가장 빠르다.

(2) A, C점과 D, F점에서 물체의 속력은 같으므로 B, E점을 지날 때 속력을 고려하면 된다. B점을 지날 때의 속력은 A, C점에서보다 느리고 E점을 지날 때의 속력은 D, F점에서보다 빠르므로 (나)가 (가)보다 먼저 도착한다.

완벽한 답안 작성을 위한 tip
(1) 역학적 에너지는 운동 에너지와 위치 에너지의 합이다.
(2) 공기 저항과 마찰이 없다면 역학적 에너지는 보존된다.

실전 문제

정답과 해설 084쪽

1 창의적 문제 해결형
그림 (가), (나)는 두 사람이 각각 롤러코스터를 설계한 것을 나타낸 것이다.

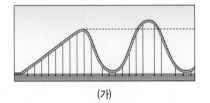 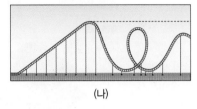

(가)   (나)

(가)와 (나) 중 좀 더 적합하게 설계한 것을 고르고, 그 까닭을 역학적 에너지 보존으로 설명하시오.

_____

_____

Tip

역학적 에너지가 보존되지 않는 마찰이 있는 상황을 고려해야 한다.

Keyword

에너지 보존, 위치 에너지, 운동 에너지, 마찰, 열에너지

2 논리적 서술형
그림은 갈릴레이가 높은 탑에서 질량이 각각 m_1, m_2인 두 물체를 떨어뜨리는 장면을 나타낸 것이다. 갈릴레이는 사람들의 예상과 달리 두 물체가 동시에 떨어진다는 사실을 발견하였다.

역학적 에너지 보존을 이용해 m_1이 바닥에 도달했을 때 속력 v_1과 m_2가 바닥에 도달했을 때 속력 v_2가 같음을 설명하시오. (단, 공기 저항과 마찰은 무시한다.)

_____

_____

Tip

역학적 에너지가 보존되므로 최고점에서 위치 에너지와 바닥에서 운동 에너지가 같다.

Keyword

역학적 에너지 보존, 위치 에너지, 운동 에너지

3

단계적 문제 해결형

다음은 한 회사의 무선 충전기 제품의 사용 설명서 중 일부를 나타낸 것이다.

○○ 무선 충전기

① 선 없이 충전 패드에 올려놓기만 하면 충전이 됩니다.

② 패드에서 멀어지면 충전 효율이 떨어지므로 패드 위에 직접 기기를 올려두시기 바랍니다.

③ 같은 용량의 유선 충전에 비해서는 충전 시간이 더 걸릴 수 있습니다.

④ 충전 중 열이 발생할 수 있습니다.

무선 충전 원리

전력 수신기
충전 패드에서 발생한 유도 전류를 수신하는 2차 코일 내장

충전 패드
플라스틱 커버 안에 전기 코일이 감겨 있다.

코일
사각형과 원형으로 구성해 다양한 전자기장을 발생시키는 1차 코일

아래는 ①~④의 설명에 대해 과학적 원리를 부연 설명한 것이다. 빈칸 ㉠, ㉡에 들어가는 내용을 쓰시오.

○○ 무선 충전기

① 이 기기는 선 없이 전자기 유도 현상을 이용한 것이다.

② 패드에서 멀어지면 (㉠   )

③ 주변으로 퍼지는 자기장의 영향으로 유선보다는 충전 효율이 떨어질 수 있다.

④ 공급된 전기 에너지의 일부가 (㉡   )

Tip

무선 충전기가 전자기 유도 현상을 이용한 것이라는 점을 이해하고 전자기 유도 현상이 일어나는 과정을 생각해 본다.

Keyword

전자기 유도, 유도 전류, 자기장, 에너지 보존

4

논리적 서술형

그림은 어떤 기준에 의해 발전 방식을 분류한 것이다.

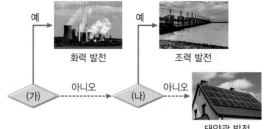

화력 발전   조력 발전

예   예

(가) → 아니오 → (나) → 아니오 → 태양광 발전

(가), (나)의 적당한 기준을 여러 발전 방식의 특징을 고려해 각각 설명하시오.

Tip

여러 가지 발전 방식의 에너지 전환과 발전 방식의 특징을 고려하여 분류 기준을 정한다.

Keyword

에너지 전환, 전자기 유도

5 　(논리적) 서술형
다음은 제주도의 풍력 발전에 대한 어떤 신문 기사 내용을 정리한 것이다.

風力 발전이 미세 먼지를 대량으로 배출하는 화력 발전이나 방사능 누출이 우려되는 핵발전의 대안으로 주목받고 있다. 그러나 한편으로 풍력 발전은 소음과 환경 파괴 문제로 논란이 되고 있다. 호주에서는 풍력 발전소가 주변 공기의 흐름을 느리게 만들어 생태계에 영향을 준다는 사실이 발표된 적이 있다. 우리나라에  서도 현재 효율적인 풍력 발전 방안을 연구하고 있지만 소음 문제와 발전 단가가 높다는 경제적 문제를 해결하지 못하고 있다.

기사를 바탕으로 풍력 발전 과정에서 일어나는 에너지 전환 과정을 설명하시오.

Tip

풍력 발전이 바람의 운동 에너지를 모두 사용하는 것이 아니라, 그 중 일부가 소음 등의 에너지로 소모됨을 이해한다.

Keyword

풍력 발전, 운동 에너지, 소리 에너지, 에너지 전환

6 　(창의적) 문제 해결형
그림은 같은 전력의 형광등 (가)와 LED등 (나)를 열화상 카메라로 각각 촬영한 것을 나타낸 것이다. 화면에서 빨간색과 흰색은 높은 온도, 파란색은 낮은 온도를 나타낸다.

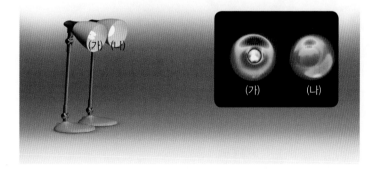

형광등과 LED등 중에서 어느 전구가 더 밝은 빛을 내는지 에너지 전환 과정을 비교하여 설명하시오.

Tip

형광등의 온도가 LED 등보다 더 높다는 것과 에너지 보존을 연결하여 설명한다.

Keyword

에너지 보존, 열에너지, 빛에너지

버려지는 에너지를 모아라,

에너지 하베스팅

점심시간이 되면 급식실 앞으로 뛰어가는 학생들의 소리로 시끄럽다. 바닥이 울릴 정도로 쿵쾅거리는 진동이 느껴질 정도이다. 급식에 대한 학생들의 열정이 역학적 에너지로 전환되는 것처럼, 이 진동을 쓸모 있는 전기 에너지로 활용할 수는 없을까?

친환경적인 에너지에 대한 관심이 커지면서, 불필요하게 버려지는 에너지를 모아 전력을 생산하는 방법이 지속적으로 연구되고 있다. 이렇게 일상에서 버려지거나 소모되는 에너지를 모아 재활용하는 기술을 에너지 하베스팅(Energy Harvesting)이라고 한다.

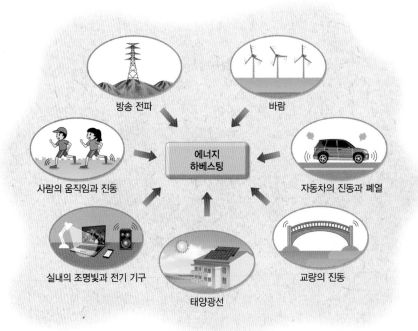

방송 전파

바람

사람의 움직임과 진동

에너지 하베스팅

자동차의 진동과 폐열

실내의 조명빛과 전기 기구

태양광선

교량의 진동

에너지 하베스팅에 주로 쓰이는 물리 현상은 압전 효과, 열전 효과, 광전 효과이다.

어떤 물질에 기계적인 압력을 가하면 전압이 발생하고, 전압을 가하면 기계적인 변형이 발생하는 현상을 압전 효과라고 한다. 전기 라이터를 누르면 전류가 흐르고, 전류가 온도를 높여 가스에 불이 붙는 것과 같은 원리이다. 특히 사람이 많이 다니는 장소에서 압전 소자를 이용하여 전기 에너지를 모으는 방법이 주목받고 있다. 압전 소자는 누르는 힘인 역학적 에너지를 전기 에너지로 전환해 주는 장치이다.

전기 라이터

열전 효과는 온도가 차이 날 때 전류가 흐르는 현상을 통틀어 이르는 말이다. 이때 온도 차가 클수록 발생하는 전기 에너지도 크다. 열전 효과는 가정용 와인 냉장고, 소형 화장품 냉장고 등에 이용된다.

금속 등의 물질은 한계 진동수 이상의 빛을 흡수할 때 전자를 방출하기도 하는데, 이를 광전 효과라고 한다. 이 현상을 이용한 대표적인 예로 태양 전지가 있다.

에너지 하베스팅은 역학적 에너지뿐만 아니라 일상에서 버려지는 다양한 에너지를 모을 수 있으며, 방송이나 전파, 자동차나 교량의 진동, 실내의 조명 등 다양한 방면에서 연구되고 있다. 최근에는 사람의 옷에 장치를 부착하거나 태양 전지판을 넣은 가방 등을 개발하여 버려지는 에너지를 활용하는 노력을 기울이고 있다.

태양광 발전과 풍력 발전

VII

별과 우주

아주 오랜 옛날부터 밤하늘에서 빛나는 수많은 천
체들은 사람들에게 신비의 대상이었다. 오늘날에
는 이러한 우주의 비밀이 서서히 밝혀지고 있다.
이 단원에서는 별까지의 거리와 밝기, 별의 색과
표면 온도, 우리은하의 모양과 구성 천체, 우주 팽
창, 우주 탐사의 성과와 의의에 대하여 알아보자.

01 별

밤하늘의 별을 자세히 보면 매우 밝게 보이는 별도 있고, 희미하게 보이는 별도 있다. 또, 붉은색으로 보이는 별도 있고, 파란색으로 보이는 별도 있다. 이 단원에서는 별까지의 거리를 구하는 방법, 별의 밝기와 거리, 별의 색과 표면 온도에 관해 알아보자.

① 연주 시차와 별까지의 거리

1. 시차와 거리

(1) **시차**: 관측자가 서로 다른 지점에서 같은 물체를 바라보면 멀리 있는 배경에 대해 겉보기 방향이 달라진다. 이때 두 관측 지점과 물체가 이루는 각을 시차라고 한다.

> ① (가)에서 나무를 바라보면 나무는 파란색 건물의 오른쪽에 위치한 것처럼 보인다.
> ② (나)에서 나무를 바라보면 나무는 파란색 건물의 왼쪽에 위치한 것처럼 보인다.
> → 두 관측 지점 (가), (나)와 나무가 이루는 각이 시차이다.

(2) **시차와 거리**: 시차는 관측 지점과 물체 사이의 거리가 가까울수록 크고, 멀수록 작다. 즉, 시차와 거리는 반비례 관계가 있다. 따라서 어떤 물체의 시차를 측정하면 물체까지의 거리를 알아낼 수 있다. 탐구 114쪽

2. 연주 시차와 별까지의 거리

(1) **연주 시차**: 지구 공전 궤도의 양 끝에서 가까운 별을 관측하면 멀리 있는 배경별에 대하여 가까운 별의 위치가 달라져 보인다. 이때 지구에서 6개월 간격으로 관측한 별의 시차의 $\frac{1}{2}$ 을 별의 연주 시차라고 한다.

① 지구가 A에 있을 때는 별 X가 천구상의 X_A에 있는 것처럼 보이고, 지구가 B에 있을 때는 별 X가 천구상의 X_B에 있는 것처럼 보인다.

② 별 X의 시차는 ∠AXB이고, 연주 시차는 ∠AXB의 $\frac{1}{2}$이다.

별 Y의 연주 시차는 ∠AYB의 $\frac{1}{2}$이다.

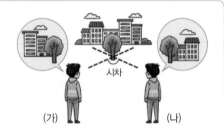

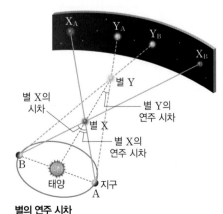

별의 연주 시차

연주 시차가 나타나는 까닭
연주 시차는 별이 실제로 천구상에서 움직여 간 것이 아니라 지구가 공전하기 때문에 나타나는 현상이다. 따라서 지구가 공전하지 않는다면 연주 시차는 생기지 않을 것이므로, 연주 시차가 나타나는 것은 지구 공전의 증거가 된다.

연주 시차의 관측
연주 시차는 1838년 독일의 베셀이 백조자리 61번 별을 관측하여 처음으로 측정하였다.

(2) 연주 시차와 별까지의 거리

① 연주 시차는 별까지의 거리가 가까울수록 크고, 멀수록 작다. 즉, 연주 시차는 별까지의 거리에 반비례한다.

$$별까지의 \ 거리(pc) = \frac{1}{연주 \ 시차('')}$$

② 연주 시차가 $1''$(초)인 별까지의 거리를 1 pc(파섹)이라고 한다.

③ 연주 시차의 한계: 멀리 있는 별들은 연주 시차가 매우 작아서 측정하기 어렵다. 별의 연주 시차는 약 100 pc 이내에 있는 비교적 가까운 별까지의 거리를 구하는 데 이용된다.

탐구 더하기 연주 시차를 이용하여 별까지의 거리 비교하기

그림 (가)~(다)는 별 A와 B를 6개월 간격으로 촬영한 것이다.

(가) 처음 모습   (나) 6개월 후의 모습   (다) 1년 후의 모습

① 별 A와 B의 위치가 변한 까닭은 지구가 공전하기 때문이다.

② 배경별을 기준으로 A의 위치가 B의 위치보다 더 많이 변했으므로, 연주 시차는 A가 B보다 크다.

③ 지구에서 멀리 있는 별일수록 연주 시차가 작게 측정되므로, 연주 시차가 작은 별 B가 A보다 지구에서 더 멀리 있는 별이다.

(3) 별까지의 거리를 나타내는 단위

① AU(천문 단위, astronomical unit): 지구에서 태양까지의 평균 거리를 1 AU 라고 한다. → 1 AU=약 1.5×10^8 km

② LY(광년, light year): 빛이 1년 동안 이동한 거리를 1광년이라고 한다.
→ 1광년=$(3 \times 10^5$ km/s$) \times ($365일$\times$24시간$\times$60분$\times$60초$)$
     =약 9.46×10^{12} km

③ pc(파섹, parsec): 연주 시차가 $1''$인 별까지의 거리를 1 pc이라고 한다.
→ 1 pc=약 206265 AU=약 3.26광년=약 3×10^{13} km

학습 내용 Check

정답과 해설 085쪽

1. 관측자와 물체 사이의 거리가 멀수록 시차는 _____진다.

2. 지구에서 별을 6개월 간격으로 보았을 때 나타나는 시차의 $\frac{1}{2}$을 _____라고 한다.

3. 연주 시차가 $1''$인 별까지의 거리는 _____ pc이다.

연주 시차의 단위

연주 시차는 각도로 나타내며 값이 매우 작기 때문에 $''$(초) 단위를 사용한다. $1''$(초)는 $1°$(도)를 3600 등분한 것이다.
$1°$(도) $= 60'$(분) $= 3600''$(초)이다.

지구에서 가장 가까운 별의 연주 시차

태양을 제외하고 지구에서 가장 가까운 별은 센타우루스자리의 프록시마이다. 이 별의 연주 시차는 약 $0.76''$이며, 거리는 약 1.3 pc (=약 4.2광년)이다.

② 별의 밝기와 거리

1. 별의 밝기

(1) **별의 밝기에 영향을 주는 요인**: 밤하늘에 보이는 별들의 밝기가 서로 다른 것은 지구로부터 별까지의 거리가 각각 다르고, 별마다 방출하는 복사 에너지양이 다르기 때문이다. 거리가 가까운 별일수록 밝게 보이고, 방출하는 복사 에너지양이 많은 별일수록 밝게 보인다.

탐구⁺더하기　손전등의 밝기 비교하기

그림 (가)는 방출하는 빛의 양이 같지만 거리가 다를 때, (나)는 거리가 같지만 방출하는 빛의 양이 다를 때의 밝기를 비교하는 모습이다.

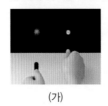
(가)

(나)

① (가)에서는 종이에 가까운 손전등의 불빛이 더 밝게 보인다. → 방출하는 빛의 양이 같을 때는 별까지의 거리가 가까운 별이 더 밝게 보인다.
② (나)에서는 방출하는 빛의 양이 많은 손전등의 불빛이 더 밝게 보인다. → 거리가 같을 때는 방출하는 빛의 양이 많은 별이 더 밝게 보인다.

(2) **거리에 따른 별의 밝기 변화**: 별의 밝기는 거리에 따라 달라진다. 별에서 나온 빛은 사방으로 퍼지면서 점점 넓은 영역을 비추므로 별까지의 거리가 멀어질수록 같은 넓이에서 받는 빛의 양이 적어진다. 만약 별에서부터의 거리가 2배, 3배로 멀어지면 별빛을 받는 넓이는 2^2배, 3^2배로 넓어지고, 같은 넓이에서 받는 빛의 양은 $\dfrac{1}{2^2}$, $\dfrac{1}{3^2}$로 줄어든다. 즉, 우리 눈에 보이는 별의 밝기는 별까지 거리의 제곱에 반비례한다.

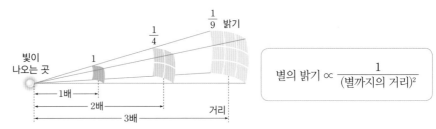

$$\text{별의 밝기} \varpropto \frac{1}{(\text{별까지의 거리})^2}$$

거리에 따른 별의 밝기 변화

탐구⁺더하기　거리에 따른 빛의 밝기 변화 알아보기

바닥에 구멍을 뚫은 종이컵을 휴대 전화에 붙인 후, 휴대 전화의 손전등 기능을 켠다. 휴대 전화를 앞뒤로 움직여 종이컵 바닥의 구멍으로 나오는 빛이 모눈종이의 격자 모양 한 칸, 네 칸을 비출 때, 모눈종이와 휴대 전화 사이의 거리를 각각 측정한다.

한 칸을 비출 때

네 칸을 비출 때

① 네 칸을 비출 때는 한 칸을 비출 때보다 거리가 2배 멀어진다.
② 네 칸을 비출 때는 한 칸을 비출 때보다 밝기가 어두워진다.

2. 별의 밝기와 등급

(1) **히파르코스의 관측과 별의 등급**: 고대 그리스의 과학자 히파르코스는 밤하늘의 별들을 맨눈으로 관찰하여 가장 밝게 보이는 별을 1등급으로, 눈에 겨우 보일 정도로 어둡게 보이는 별을 6등급으로 정하고, 그 사이의 별들도 밝기에 따라 2등급, 3등급, 4등급, 5등급으로 구분하였다. → 밝은 별일수록 등급이 작고, 어두운 별일수록 등급이 크다.

(2) **망원경의 관측에 따라 확장된 별의 등급**: 17세기에 들어 망원경 관측을 통해 맨눈으로 볼 수 없었던 어두운 별들이 발견되자 6등급보다 어두운 별들은 7등급, 8등급, … 등으로 나타내고, 1등급보다 밝은 별들은 0등급, −1등급, … 등으로 나타내었다. 각 등급 사이의 밝기인 별은 −1.5등급, 2.3등급 등 소수점을 이용하여 나타낸다.

(3) **별의 등급 차에 따른 밝기 차**: 1856년 영국의 포그슨은 정밀한 관측을 통해 1등급의 별이 6등급의 별보다 약 100배 밝다는 사실을 알아내었다. 이는 1등급 간의 밝기 차이가 약 2.5배에 해당함을 나타낸다. → 밝기 차(배) ≒ $2.5^{등급\ 차}$ **집중분석** 115쪽

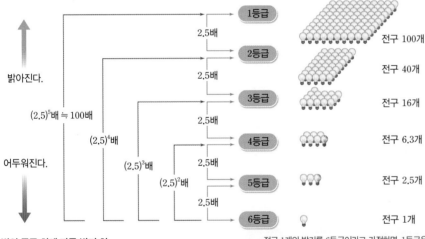

별의 등급 차에 따른 밝기 차

전구 1개의 밝기를 6등급이라고 가정하면, 1등급은 전구 약 100개가 모인 밝기이다. 즉, 1등급의 별 1개의 밝기는 6등급의 별 약 100개가 모인 밝기와 같다.

3. 겉보기 등급과 절대 등급

(1) **겉보기 등급**: 히파르코스가 정한 것처럼 우리 눈에 보이는 별의 밝기를 등급으로 나타낸 것을 겉보기 등급이라고 한다.

① 겉보기 등급이 작은 별일수록 우리 눈에 밝게 보인다.

② 겉보기 등급은 별까지의 거리를 고려하지 않고 나타내므로 겉보기 등급으로는 별의 실제 밝기를 비교할 수 없다.

(2) **절대 등급**: 별들이 모두 지구에서 10 pc의 거리에 있다고 가정했을 때의 밝기를 등급으로 나타낸 것을 절대 등급이라고 한다.

① 절대 등급이 작은 별일수록 실제로 방출하는 빛의 양이 많다.

② 절대 등급으로 별의 실제 밝기를 비교할 수 있다.

표준성과 별의 등급

별의 등급을 정할 때는 지구에 도달하는 별의 복사 에너지양을 표준이 되는 별과 비교하여 정한다. 밝기의 표준이 되는 별로는 0등급인 직녀성(베가)이 주로 이용된다.

별의 등급 차와 밝기 차

등급 차	밝기 차
1	$2.5^1(=2.5)$배
2	$2.5^2(≒6.3)$배
3	$2.5^3(≒16)$배
4	$2.5^4(≒40)$배
5	$2.5^5(≒100)$배

별의 거리 지수

거리가 10 pc보다 가까운 별은 겉보기 등급이 절대 등급보다 작고, 10 pc의 거리에 있는 별은 겉보기 등급과 절대 등급이 같으며, 거리가 10 pc보다 먼 별은 겉보기 등급이 절대 등급보다 크다. 이와 같이 (겉보기 등급－절대 등급) 값은 별까지의 거리를 나타내므로 이를 거리 지수라고 한다.

(3) 별의 등급을 이용하여 별까지의 거리를 비교하는 방법: (겉보기 등급－절대 등급) 값이 작을수록 가까이 있는 별이고, 클수록 멀리 있는 별이다. 집중분석 115쪽

① 겉보기 등급과 절대 등급이 같은 별: 절대 등급은 별이 10 pc의 거리에 있다고 가정했을 때의 밝기 등급이므로, 겉보기 등급과 절대 등급이 같은 별은 10 pc의 거리에 있는 별이다. → (겉보기 등급－절대 등급)=0인 별: 10 pc에 있는 별

② 겉보기 등급이 절대 등급보다 작은 별: 10 pc보다 가까이 있는 별을 10 pc의 거리로 옮기면 거리가 멀어지므로 더 어둡게 보이고 별의 등급이 커진다.

→ (겉보기 등급－절대 등급)<0인 별: 10 pc보다 가까이 있는 별

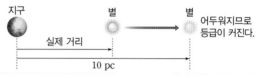

③ 겉보기 등급이 절대 등급보다 큰 별: 10 pc보다 멀리 있는 별을 10 pc의 거리로 옮기면 거리가 가까워지므로 더 밝게 보이고 별의 등급이 작아진다.

→ (겉보기 등급－절대 등급)>0인 별: 10 pc보다 멀리 있는 별

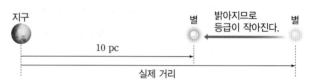

자료+더하기　별의 등급을 이용한 별까지의 거리 비교

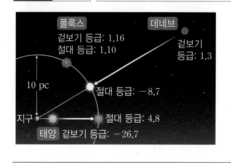

- 10 pc보다 가까이 있는 별(태양): 겉보기 등급이 절대 등급보다 작다.
- 10 pc 부근에 있는 별(폴룩스): 겉보기 등급과 절대 등급이 거의 같다.
- 10 pc보다 멀리 있는 별(데네브): 겉보기 등급이 절대 등급보다 크다.

학습 내용 Check

정답과 해설 085쪽

1. 별의 밝기는 _____의 제곱에 반비례한다.

2. 1등급인 별은 6등급인 별보다 약 _____배 밝고, 1등급 사이에는 약 _____배의 밝기 차이가 난다.

3. 지구에서 10 pc보다 멀리 있는 별은 겉보기 등급이 절대 등급보다 _____다.

③ 별의 색과 표면 온도

1. 빛을 내는 물체의 색과 온도 쇳덩이를 가열하면 쇳덩이의 온도가 높아질수록 색이 붉은색에서 주황색, 노란색으로 변하고, 쇳덩이를 식히면 온도가 낮아지면서 이와 반대로 색이 변한다. 이와 같이 빛을 내는 물체는 온도에 따라 색이 달라진다.

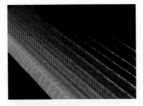

쇳덩이의 색 변화

2. 별의 색과 표면 온도 별의 색도 쇳덩이처럼 표면 온도에 따라 달라진다. 표면 온도가 높은 별일수록 파란색이 강하게 관측되고, 표면 온도가 낮은 별일수록 붉은색이 강하게 관측된다. 즉, 별의 색은 표면 온도가 높은 것부터 파란색 → 청백색 → 흰색 → 황백색 → 노란색 → 주황색 → 붉은색으로 보이게 된다. 태양은 노란색 별로 표면 온도가 약 6000 K이다.

> **용어 K(켈빈)**
>
> K(켈빈)은 절대 온도의 단위이다. 절대 온도는 −273.15 ℃를 기준 (0 K)으로 정한 이론적인 온도로, 섭씨온도에 273을 더한 값과 같다.
>
> 절대 온도(K)
> =273+섭씨온도(℃)

색							
	파란색	청백색	흰색	황백색	노란색	주황색	붉은색
표면 온도(K)	30000 이상	10000~ 30000	7500~ 10000	6000~ 7500	5000~ 6000	3500~ 5000	3500 이하
	높다. ←──────────────────────────→ 낮다.						
대표 별	민타카, 나오스	스피카, 리겔	견우성, 직녀성	북극성, 프로키온	태양, 카펠라	알데바란, 아크투루스	안타레스, 베텔게우스

자료⁺ 더하기 오리온자리를 이루는 별의 색과 표면 온도

> 붉은색으로 보인다.
> → 청백색의 리겔보다 표면 온도가 낮다.

베텔게우스

리겔

> 청백색으로 보인다.
> → 붉은색의 베텔게우스보다 표면 온도가 높다.

오리온자리

오리온자리를 이루는 베텔게우스와 리겔을 망원경으로 관측해 보면 베텔게우스는 붉은색을 띠고, 리겔은 청백색을 띤다. 이러한 차이는 베텔게우스가 리겔보다 표면 온도가 낮기 때문이다. 베텔게우스의 표면 온도는 약 3300 K이고, 리겔의 표면 온도는 약 12100 K이다.

학습 내용 Check

정답과 해설 085쪽

1. 별의 색이 다른 까닭은 별의 _____가 다르기 때문이다.

2. 붉은색 별과 파란색 별 중에서 표면 온도가 더 높은 것은 _____색 별이다.

3. 태양은 표면 온도가 약 6000 K이므로 _____색으로 보인다.

 탐구 **시차** 측정하기

시차를 측정하여 물체까지의 거리와 시차의 관계를 설명할 수 있다.

 과정

❶ 색종이로 동그라미 7개를 만든 후, 칠판에 일정한 간격으로 붙이고 번호를 적는다.

❷ 연필을 손에 쥐고 칠판을 향해 팔을 편다.

❸ 오른쪽 눈과 왼쪽 눈을 번갈아 감고 보았을 때 연필 끝이 가리키는 색종이 위의 번호를 읽는다.

❹ 팔을 굽히고 과정 ❸을 반복한다.

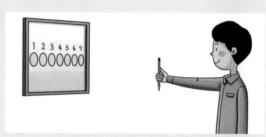

결과 및 정리

팔을 폈을 때

연필 끝의 위치가 오른쪽 눈으로는 3에서 보이고, 왼쪽 눈으로는 5에서 보인다. 시차는 3에서 5까지의 각도에 해당한다.

팔을 굽혔을 때

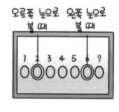

연필 끝의 위치가 오른쪽 눈으로는 2에서 보이고, 왼쪽 눈으로는 6에서 보인다. 시차는 2에서 6까지의 각도에 해당한다.

1. 팔을 폈을 때보다 굽혔을 때 시차가 더 크게 나타난다. → 시차는 물체까지의 거리가 가까울수록 크게 나타난다.

2. 이와 같은 원리로 거리가 먼 별일수록 연주 시차가 작다는 것을 알 수 있다. 이때 양쪽 눈의 위치는 지구가 태양 주위를 공전하면서 6개월 간격으로 별을 관측한 지구의 위치에 해당한다.

탐구 확인 문제

정답과 해설 085쪽

1 위 탐구에 대한 설명으로 옳은 것은 ○, 옳지 않은 것은 ×로 표시하시오.

(1) 양쪽 눈을 번갈아 감고 보았을 때 연필이 보이는 방향의 차이는 시차에 해당한다. ·········(   )

(2) 팔을 굽히거나 펴서 실험하는 것은 물체와 관측자 사이의 거리를 다르게 하기 위한 것이다. ·········(   )

(3) 시차와 물체까지의 거리는 비례 관계가 있다. ···(   )

(4) 위 탐구와 같은 원리로 별을 6개월 간격으로 관측해 보면 별까지의 거리를 알 수 있다. ·········(   )

2 ^{적용} 태양을 제외하고 지구에서 가장 가까운 별의 연주 시차는 약 0.76″이다. 별의 연주 시차에 대한 설명으로 옳은 것을 보기에서 모두 고른 것은?

┌ 보기 ┐

ㄱ. 연주 시차는 지구의 공전 때문에 나타난다.

ㄴ. 위 탐구에서 양쪽 눈의 위치는 6개월 간격으로 별을 관측한 지구의 위치에 해당한다.

ㄷ. 태양을 제외하고 지구에서 관측되는 별들의 연주 시차는 모두 0.76″보다 크게 관측될 것이다.

① ㄱ   ② ㄷ   ③ ㄱ, ㄴ

④ ㄴ, ㄷ   ⑤ ㄱ, ㄴ, ㄷ

집중분석 별의 밝기와 등급에 관한 여러 가지 문제 유형

별의 밝기는 별까지의 거리에 따라 달라지고, 별의 밝기를 나타내는 등급 차에 따라 일정한 밝기 차가 나타난다. 별의 밝기와 등급에 관한 여러 가지 문제 유형을 분류하여 자세하게 알아보자.

1 밝기 변화에 따른 등급 변화 구하기

해결 방법

① 밝기 차(배)≒$2.5^{등급\,차}$임을 파악한다.

등급 차	1	2	3	4	5	10
밝기 차 (배)	2.5	2.5^2 (≒6.3)	2.5^3 (≒16)	2.5^4 (≒40)	2.5^5 (≒100)	2.5^{10} (≒10000)

② 밝아지면 등급을 빼고, 어두워지면 등급을 더한다.

연습 문제

01 1등급인 별의 밝기가 $\frac{1}{16}$로 줄어들면 이 별의 등급은?

> **풀이** ① 밝기 차가 16배이면 등급 차는 3등급이다.
> ② 어두워지므로 등급을 더한다. → 1등급+3등급=4등급

02 1등급인 별 100개가 모여 있으면 몇 등급인 별 1개의 밝기와 같은가?

> **풀이** ① 100개가 모이면 100배 밝아지므로 등급 차는 5등급이다.
> ② 밝아지므로 등급을 뺀다. → 1등급−5등급=−4등급

2 거리 변화에 따른 등급 변화 구하기

해결 방법

① 별의 밝기∝$\frac{1}{(별까지의 거리)^2}$ 임을 파악한다.

② 별까지의 거리가 가까워지면 밝기가 밝아지므로 등급이 작아지고, 별까지의 거리가 멀어지면 밝기가 어두워지므로 등급이 커진다.

연습 문제

03 3등급인 별까지의 거리가 원래의 $\frac{1}{4}$로 가까워지면 이 별은 몇 등급으로 보이겠는가?

> **풀이** ① 거리가 원래의 $\frac{1}{4}$로 가까워지면 밝기는 16배 밝아진다.
> ② 밝기 차가 16배이면 등급 차는 3등급이고, 밝아지므로 등급을 뺀다. → 3등급−3등급=0등급

3 별까지의 거리와 절대 등급으로 겉보기 등급 구하기

해결 방법

① 별까지의 거리를 10 pc과 비교한다.

② 거리에 따른 밝기 차, 밝기에 따른 등급 차를 계산한다.

③ 별이 10 pc보다 가까이 있으면 절대 등급에서 등급 차를 빼고, 멀리 있으면 등급 차를 더한다.

연습 문제

04 절대 등급이 1등급인 별까지의 거리가 40 pc일 때, 이 별의 겉보기 등급은 몇 등급인가?

> **풀이** ① 별까지의 거리 40 pc은 10 pc보다 4배 멀다.
> ② 거리가 4배 멀어지면 밝기는 원래의 $\frac{1}{16}$로 어두워지므로 등급 차는 3등급이다.
> ③ 10 pc보다 멀리 있으므로 절대 등급에서 등급 차를 더한다. → 1등급+3등급=4등급

4 별까지의 거리와 겉보기 등급으로 절대 등급 구하기

해결 방법

① 10 pc을 별까지의 거리와 비교한다.

② 별을 10 pc으로 옮겼을 때 거리에 따른 밝기 차, 밝기에 따른 등급 차를 계산한다.

③ 별이 10 pc보다 가까이 있으면 겉보기 등급에서 등급 차를 더하고, 멀리 있으면 등급 차를 뺀다.

연습 문제

05 겉보기 등급이 3등급인 별까지의 거리가 100 pc일 때, 이 별의 절대 등급은 몇 등급인가?

> **풀이** ① 10 pc은 별까지의 거리 100 pc보다 $\frac{1}{10}$ 가깝다.
> ② 별을 10 pc의 거리로 옮기면 밝기는 100배 밝아지므로 등급 차는 5등급이다.
> ③ 10 pc보다 멀리 있으므로 겉보기 등급에서 등급 차를 뺀다. → 3등급−5등급=−2등급

별의 스펙트럼형

별의 색을 관측하면 별의 표면 온도를 알아낼 수 있는데, 실제로 별빛은 매우 약하므로 맨눈으로는 별의 색을 구분하기가 쉽지 않다. 따라서 별의 표면 온도는 스펙트럼 관측을 통해 알아낸다.

① 스펙트럼

빛을 프리즘에 통과시키거나 분광기로 보면 여러 가지 색의 띠가 나타나는데, 이를 스펙트럼이라고 한다. 스펙트럼은 연속 스펙트럼, 흡수 스펙트럼, 방출 스펙트럼으로 분류된다. 연속 스펙트럼은 분광기로 백열전구에서 나오는 빛을 관찰하는 경우와 같이 연속적인 색의 띠가 나타나는 것이고, 흡수 스펙트럼은 별빛을 관찰하는 경우와 같이 연속적인 색의 띠에 검은 선이 나타나는 것이며, 방출 스펙트럼은 실험실에서 기체 방전관의 빛을 관찰하는 경우와 같이 밝은 선이 나타나는 것이다.

연속 스펙트럼   흡수 스펙트럼   방출 스펙트럼

② 흡수 스펙트럼

햇빛을 분광기를 통해 자세히 관찰해 보면 연속적인 색의 띠 사이에 수많은 검은 선이 나타나는데, 이를 흡수선이라고 한다. 이러한 흡수선은 햇빛이 태양의 대기를 통과하면서 특정한 파장의 빛이 흡수되기 때문에 나타난다.

저온의 가스   흡수 스펙트럼

태양

프리즘

흡수선

흡수 스펙트럼의 원리

③ 별의 스펙트럼형 (분광형)

별의 스펙트럼을 관측해 보면 별마다 다양한 흡수 스펙트럼이 나타난다. 미국의 과학자 캐논은 별의 스펙트럼을 분류하였는데, 이를 스펙트럼형 또는 분광형이라고 한다. 별의 스펙트럼형은 흡수선의 기본 형태에 따라 표면 온도가 높은 별부터 낮은 별의 순으로 O, B, A, F, G, K, M형의 7가지로 분류할 수 있다. 태양은 노란색을 띠는 G형의 별로 분류된다.

스펙트럼형	표면 온도(K)	색	스펙트럼
O	30000 이상	파란색	
B	10000~30000	청백색	
A	7500~10000	흰색	
F	6000~7500	황백색	
G	5000~6000	노란색	
K	3500~5000	주황색	
M	3500 이하	붉은색	

중단원 핵심 정리

1 연주 시차와 별까지의 거리

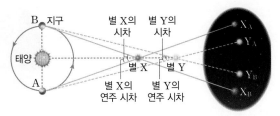

① 시차: 멀리 떨어진 두 지점에서 관측자가 같은 물체를 관측할 때, 두 관측 지점과 물체가 이루는 각

② 별의 연주 시차: 지구에서 6개월 간격으로 별을 관측하여 측정한 시차의 $\frac{1}{2}$

③ 연주 시차와 별까지의 거리 관계: 연주 시차는 별까지의 거리에 반비례한다.

$$별까지의\ 거리(pc) = \frac{1}{연주\ 시차(")}$$

2-1 별의 밝기와 거리

① 별의 밝기에 영향을 주는 요인: 별까지의 거리, 방출하는 빛의 양

② 별의 밝기와 거리 관계: 별의 밝기는 별까지 거리의 제곱에 반비례한다.

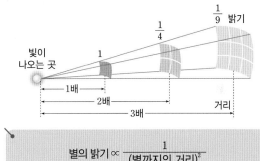

$$별의\ 밝기 \propto \frac{1}{(별까지의\ 거리)^2}$$

2-2 겉보기 등급과 절대 등급

① 별의 등급과 밝기 차: 1등급은 6등급보다 약 100배 밝으며, 각 등급의 밝기 차는 약 2.5배이다.

② 겉보기 등급과 절대 등급
- 겉보기 등급: 맨눈으로 보이는 별의 밝기를 등급으로 나타낸 것
- 절대 등급: 별이 지구로부터 10 pc의 거리에 있다고 가정했을 때의 밝기 등급 → 별의 실제 밝기를 알 수 있다.

③ 별의 등급과 거리: (겉보기 등급-절대 등급) 값이 클수록 지구로부터의 거리가 멀다.
- 10 pc보다 가까운 별: (겉보기 등급-절대 등급)<0
- 10 pc에 있는 별: (겉보기 등급-절대 등급)=0
- 10 pc보다 먼 별: (겉보기 등급-절대 등급)>0

3 별의 색과 표면 온도

① 물체의 색과 표면 온도: 물체의 온도에 따라 빛의 색이 다르게 나타난다.

② 별의 색과 표면 온도: 별은 표면 온도가 높은 것부터 파란색 → 청백색 → 흰색 → 황백색 → 노란색 → 주황색 → 붉은색으로 보인다.

⑩ 오리온자리의 베텔게우스는 표면 온도가 낮아서 붉은색을 띠고, 리겔은 표면 온도가 높아서 청백색을 띤다.

01 그림은 관측자가 팔을 굽힌 상태로 양쪽 눈을 번갈아 감으면서 연필 끝의 위치 변화를 관찰하는 모습을 나타낸 것이다.

이에 대한 설명으로 옳은 것을 보기에서 모두 고른 것은?

보기
ㄱ. 두 눈과 연필 끝이 이루는 각은 시차이다.
ㄴ. 팔을 쭉 펴고 관찰하면 연필 끝의 위치는 2와 6보다 안쪽에서 보일 것이다.
ㄷ. 이와 같은 원리로 별까지의 거리를 측정하려고 할 때, 연필은 지구에 비유할 수 있다.

① ㄱ   ② ㄴ   ③ ㄷ
④ ㄱ, ㄴ   ⑤ ㄱ, ㄴ, ㄷ

02 별의 연주 시차에 대한 설명으로 옳은 것을 보기에서 모두 고른 것은?

보기
ㄱ. 지구가 자전한다는 증거가 된다.
ㄴ. 지구로부터 별까지의 거리에 비례한다.
ㄷ. 연주 시차가 1″인 별까지의 거리를 1 pc이라고 한다.

① ㄱ   ② ㄷ   ③ ㄱ, ㄴ
④ ㄴ, ㄷ   ⑤ ㄱ, ㄴ, ㄷ

03 그림은 지구에서 6개월 간격으로 별 S를 관측한 모습을 나타낸 것이다.

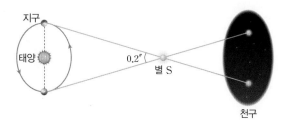

이에 대한 설명으로 옳은 것을 보기에서 모두 고른 것은?

보기
ㄱ. 별 S의 연주 시차는 0.1″이다.
ㄴ. 별 S까지의 거리는 10 pc이다.
ㄷ. 별 S보다 멀리 있는 별은 연주 시차가 0.1″보다 작을 것이다.

① ㄱ   ② ㄴ   ③ ㄷ
④ ㄱ, ㄴ   ⑤ ㄱ, ㄴ, ㄷ

04 그림은 지구에서 6개월 간격으로 관측한 별 A와 B의 위치 변화를 나타낸 것으로, 그림의 숫자는 별 A, B 사이의 각거리이다.

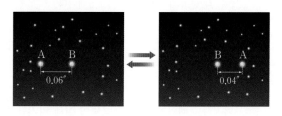

이에 대한 설명으로 옳은 것을 보기에서 모두 고른 것은?

보기
ㄱ. 별 A의 연주 시차는 0.1″이다.
ㄴ. 지구에서 별 A까지의 거리는 20 pc이다.
ㄷ. 별 B는 별 A보다 지구로부터 가까운 거리에 있다.

① ㄱ   ② ㄴ   ③ ㄷ
④ ㄱ, ㄴ   ⑤ ㄴ, ㄷ

05 그림은 거리에 따른 별의 밝기 변화를 나타낸 것이다.

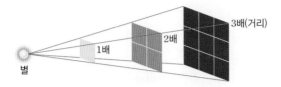

별의 밝기(l)와 거리(r)의 관계로 옳은 것은?

① $l \propto r$ ② $l \propto r^2$ ③ $l \propto \dfrac{1}{r}$

④ $l \propto \dfrac{1}{r^2}$ ⑤ $l \propto \dfrac{1}{r^3}$

06 별의 밝기와 등급에 대한 설명으로 옳지 <u>않은</u> 것은?

① 등급이 작을수록 밝은 별이다.

② 2등급인 별은 3등급인 별보다 약 2.5배 밝게 보인다.

③ 1등급인 별은 6등급인 별보다 약 100배 밝게 보인다.

④ 절대 등급은 별이 10 pc의 거리에 있을 때의 밝기를 나타낸 것이다.

⑤ 별의 실제 밝기를 비교하려면 겉보기 등급을 이용해야 한다.

07 표는 별의 등급 차에 따른 밝기 차를 나타낸 것이다.

등급 차	1	2	3	4	5
밝기 차(배)	2.5	6.3	16	40	100

−2등급으로 보이는 어떤 별까지의 거리가 10배 멀어진다면, 이 별은 몇 등급으로 보이겠는가?

① 0등급   ② 1등급

③ 2등급   ④ 3등급

⑤ 4등급

08 표는 별 A~D의 겉보기 등급과 절대 등급을 나타낸 것이다.

별	A	B	C	D
겉보기 등급	6	1	2	3
절대 등급	−2	−3	6	3

이에 대한 설명으로 옳은 것을 보기에서 모두 고른 것은?

> **보기**
> ㄱ. 별 B는 A보다 100배 밝게 보인다.
> ㄴ. 별 A~D 중 실제로 가장 어두운 별은 C이다.
> ㄷ. 지구에서 별 D까지의 거리는 약 10 pc이다.

① ㄱ   ② ㄴ   ③ ㄱ, ㄷ

④ ㄴ, ㄷ   ⑤ ㄱ, ㄴ, ㄷ

09 그림은 별 A~C까지의 거리와 겉보기 등급(m)을 나타낸 것이다.

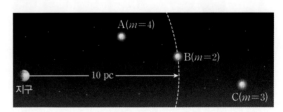

별 A~C에 대한 설명으로 옳은 것을 보기에서 모두 고른 것은?

> **보기**
> ㄱ. 가장 밝게 보이는 별은 A이다.
> ㄴ. 별 B의 절대 등급은 2등급이다.
> ㄷ. 별 C의 절대 등급은 3등급보다 크다.

① ㄱ   ② ㄴ   ③ ㄱ, ㄷ

④ ㄴ, ㄷ   ⑤ ㄱ, ㄴ, ㄷ

10 그림은 별 A~D의 겉보기 등급과 절대 등급을 나타낸 것이다.

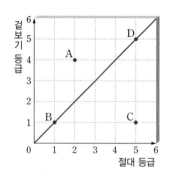

이에 대한 설명으로 옳은 것을 보기에서 모두 고른 것은?

> **보기**
>
> ㄱ. A는 10 pc보다 멀리 있는 별이다.
>
> ㄴ. B와 D는 같은 거리에 있다.
>
> ㄷ. B는 C보다 실제로 약 40배 밝다.

① ㄱ   ② ㄴ   ③ ㄷ

④ ㄱ, ㄴ   ⑤ ㄱ, ㄴ, ㄷ

11 그림은 별의 색과 표면 온도의 관계를 나타낸 것이다.

이에 대한 설명으로 옳은 것을 보기에서 모두 고른 것은?

> **보기**
>
> ㄱ. 표면 온도가 높은 별일수록 파란색을 띤다.
>
> ㄴ. 표면 온도가 약 6000 K인 태양은 노란색으로 보인다.
>
> ㄷ. 별까지의 거리가 멀어지면 별의 색은 점차 붉은색으로 변한다.

① ㄱ   ② ㄷ   ③ ㄱ, ㄴ

④ ㄴ, ㄷ   ⑤ ㄱ, ㄴ, ㄷ

12 다음은 여러 별의 색을 나타낸 것이다.

> (가) 흰색을 띠는 직녀성
>
> (나) 노란색을 띠는 카펠라
>
> (다) 파란색을 띠는 민타카
>
> (라) 붉은색을 띠는 안타레스

표면 온도가 높은 것부터 순서대로 옳게 나열한 것은?

① (가) − (나) − (다) − (라)

② (가) − (라) − (다) − (나)

③ (나) − (가) − (다) − (라)

④ (다) − (가) − (나) − (라)

⑤ (다) − (라) − (가) − (나)

13 표는 별 A와 B의 밝기 등급과 색, 연주 시차를 나타낸 것이다.

구분	별 A	별 B
겉보기 등급	−1	4
절대 등급	2	−5
색	파란색	붉은색
연주 시차(″)	0.2	0.05

별 A와 B를 옳게 비교한 것을 보기에서 모두 고른 것은?

> **보기**
>
> ㄱ. 맨눈으로 보이는 밝기: A>B
>
> ㄴ. 별의 실제 밝기: A>B
>
> ㄷ. 별의 표면 온도: A>B
>
> ㄹ. 별까지의 거리: A<B

① ㄱ, ㄴ   ② ㄱ, ㄹ   ③ ㄴ, ㄷ

④ ㄱ, ㄷ, ㄹ   ⑤ ㄴ, ㄷ, ㄹ

01 어떤 별까지의 거리가 달라지면 그 값이 변하는 것을 보기에서 모두 고른 것은?

> 보기
>
> ㄱ. 색 　　　　　　ㄴ. 연주 시차
> ㄷ. 절대 등급 　　　ㄹ. 표면 온도
> ㅁ. 겉보기 등급

① ㄱ, ㄷ 　　　② ㄴ, ㅁ 　　　③ ㄱ, ㄴ, ㄹ
④ ㄴ, ㄷ, ㅁ 　　⑤ ㄴ, ㄷ, ㄹ, ㅁ

03 표는 별 A~C의 겉보기 등급, 절대 등급, 연주 시차, 색을 나타낸 것이다.

별	A	B	C
겉보기 등급	( )	2.5	3.2
절대 등급	5.8	( )	3.2
연주 시차	0.52″	0.02″	( )
색	주황색	청백색	노란색

별 A~C에 대한 설명으로 옳은 것을 보기에서 모두 고른 것은?

> 보기
>
> ㄱ. A는 겉보기 등급이 5.8등급보다 크다.
> ㄴ. 절대 등급은 B가 C보다 작다.
> ㄷ. 연주 시차는 A가 C보다 크다.
> ㄹ. 표면 온도가 가장 높은 별은 B이다.

① ㄱ, ㄴ 　　　② ㄱ, ㄷ 　　　③ ㄴ, ㄹ
④ ㄱ, ㄴ, ㄷ 　　⑤ ㄴ, ㄷ, ㄹ

02 그림은 거리가 10 pc인 별 A와 이 별까지의 거리가 A′으로 달라졌다고 가정했을 때, 별의 겉보기 등급과 표면 온도의 변화를 나타낸 것이다.

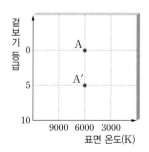

이에 대한 설명으로 옳은 것을 보기에서 모두 고른 것은?

> 보기
>
> ㄱ. 별 A의 절대 등급은 0등급이다.
> ㄴ. A′일 때 별까지의 거리는 100 pc이다.
> ㄷ. 별까지의 거리가 달라져도 별의 색은 변하지 않는다.

① ㄱ 　　　② ㄷ 　　　③ ㄱ, ㄴ
④ ㄴ, ㄷ 　　⑤ ㄱ, ㄴ, ㄷ

04 그림은 별 A, B의 표면 온도와 등급을 나타낸 것이다.

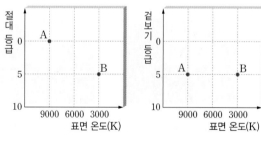

이에 대한 설명으로 옳은 것을 보기에서 모두 고른 것은? (단, 두 별의 크기는 같다.)

> 보기
>
> ㄱ. 별 A의 연주 시차는 0.1″보다 작다.
> ㄴ. 별 A는 B보다 지구로부터의 거리가 멀다.
> ㄷ. 별 A와 B는 밝기보다 색으로 구별하기 쉽다.

① ㄱ 　　　② ㄷ 　　　③ ㄱ, ㄴ
④ ㄴ, ㄷ 　　⑤ ㄱ, ㄴ, ㄷ

☞ 제시된 Keyword를 이용하여 문제를 해결해 보자.

1 다음은 별의 연주 시차와 거리 관계를 이해하기 위한 탐구 과정이다.

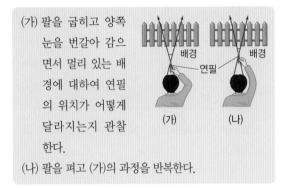

(가) 팔을 굽히고 양쪽 눈을 번갈아 감으면서 멀리 있는 배경에 대하여 연필의 위치가 어떻게 달라지는지 관찰한다.

(나) 팔을 펴고 (가)의 과정을 반복한다.

위 탐구를 지구 공전에 의한 별의 연주 시차와 비교할 때, 연필, 양쪽 눈, 배경은 각각 무엇에 해당하는지 설명하시오.

Keyword 6개월, 연주 시차, 배경별

---

2 그림은 지구에서 6개월 간격으로 관측한 별 A와 B의 위치 변화를 나타낸 것이다. (단, 별 B는 위치가 변하지 않았으며, 그림의 숫자는 별 A, B 사이의 각거리이다.)

(가) 6개월 전   (나) 현재

(1) 6개월 동안 별 A의 위치가 변한 반면, 별 B의 위치는 변하지 않은 까닭을 설명하시오.

Keyword 거리

---

(2) 지구에서 별 A까지의 거리는 몇 pc인지 풀이 과정을 포함하여 구하시오.

Keyword 시차, 연주 시차, 거리

3 그림 (가)와 (나)는 별의 밝기에 영향을 주는 요인을 알아보기 위한 실험을 나타낸 것이다.

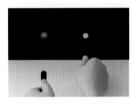 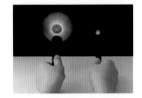

(가) 같은 종류의 손전등을 거리만 다르게 했을 때

(나) 다른 종류의 손전등을 거리가 같게 했을 때

위 실험을 참고로 별의 밝기가 다른 까닭을 두 가지 설명하시오.

Keyword 거리, 에너지양

---

4 표는 별의 등급 차에 따른 밝기 차를 나타낸 것이다.

등급 차	1	2	3	4	5
밝기 차(배)	2.5	6.3	16	40	100

(1) 5등급인 별 A와 0등급인 별 B의 밝기를 비교하여 설명하시오.

Keyword 5등급

---

(2) 겉보기 등급이 1등급인 어떤 별이 10000개 모여 있다면, 이 집단의 밝기는 몇 등급의 별 한 개의 밝기와 같은지 설명하시오.

Keyword 10000배

---

5 그림은 지구로부터의 거리가 **4 pc**이고 겉보기 등급이 2등급인 어떤 별의 절대 등급을 구하는 과정을 나타낸 것이다.

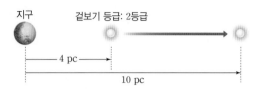

지구　　겉보기 등급: 2등급

4 pc

10 pc

(1) 이 별을 10 pc의 거리로 옮기면 별의 밝기는 어떻게 변하는지 설명하시오.

Keyword 2.5배

_____

_____

(2) 이 별의 절대 등급은 몇 등급인지 과정을 포함하여 구하시오.

Keyword $\dfrac{1}{(2.5)^2}$

_____

_____

6 표는 여러 별의 겉보기 등급과 절대 등급을 나타낸 것이다.

별	겉보기 등급	절대 등급
시리우스	−1.5	1.4
직녀성	0.0	0.5
프로키온	0.3	2.6
안타레스	1.0	−4.5

지구에서 거리가 가장 가까운 별과 가장 먼 별을 각각 고르고, 그렇게 판단한 까닭을 설명하시오.

Keyword (겉보기 등급−절대 등급)

_____

_____

7 표는 어떤 별의 물리량을 나타낸 것이다.

겉보기 등급	절대 등급	색
3	−3	흰색

이 별을 10 pc의 거리로 옮기면 겉보기 등급, 절대 등급, 색은 어떻게 변하는지 설명하시오.

Keyword 겉보기 등급, 절대 등급, 색

_____

_____

8 그림은 오리온자리를 나타낸 것이다.

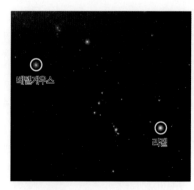

베텔게우스와 리겔 중 표면 온도가 더 높은 별은 무엇인지 쓰고, 그 까닭을 설명하시오.

Keyword 붉은색, 청백색

_____

_____

02 우주

맑은 날에 불빛이 없는 곳에서 밤하늘을 보면 하늘을 가로지르는 희미한 띠 모양을 볼 수 있는데, 이를 은하수라고 한다. 이 단원에서는 은하수를 통해 우리은하의 모습을 알아보고, 우리은하는 어떤 천체들로 이루어져 있는지 알아보자. 또한, 우주가 팽창한다는 사실을 이해하고, 우주 탐사의 성과와 의의를 알아보자.

① 우리은하

1. 우리은하의 모양과 크기

(1) **우리은하**: 수많은 별이 모여 있는 거대한 집단을 은하라고 하며, 은하 중에서 태양계가 속해 있는 은하를 우리은하라고 한다. 우리은하에는 약 2천억 개의 별들이 포함되어 있다.

(2) **우리은하의 모양**

① 우리은하를 위에서 보면 중심부에는 별들이 막대 모양을 이루며 집중적으로 모여 있고, 막대 끝에는 소용돌이치는 나선 모양의 팔이 휘감겨 있다.

② 우리은하를 옆에서 보면 중심부가 부풀어 있는 납작한 원반 모양이다.

(3) **우리은하의 크기**: 우리은하의 지름은 약 30000 pc(≒10만 광년)이고, 태양계는 우리은하의 중심에서 약 8500 pc(≒3만 광년) 떨어진 나선팔에 위치해 있다.

(4) **은하수**: 태양계는 우리은하의 중심부에서 벗어나 있기 때문에 지구에서 본 우리은하는 희뿌연 띠 모양으로 보이는데, 이를 은하수라고 한다. 은하수를 서양 사람들은 '밀키 웨이(Milky Way)'라고 불렀고, 우리 조상들은 용이 노는 시냇물이라는 의미로 '미리내'라고 불렀다.

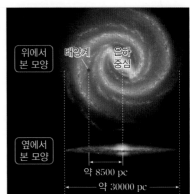

위에서 본 모양 · 태양계 · 은하 중심

옆에서 본 모양 · 약 8500 pc · 약 30000 pc

우리은하의 모양

자료⁺더하기 **계절에 따라 다르게 보이는 은하수**

① **여름철**: 우리은하의 중심은 궁수자리 방향 부근에 있다. 여름철에는 태양이 궁수자리의 반대쪽에 위치하므로, 밤하늘이 우리은하의 중심부를 향한다. 따라서 여름철에는 은하수가 폭이 넓고 뚜렷하게 보인다.

겨울철 은하수

태양계 · 은하 중심 · 겨울철에 바라보는 방향 · 여름철에 바라보는 방향

여름철 은하수

② **겨울철**: 겨울철에는 태양이 궁수자리 방향에 위치하므로, 밤하늘이 우리은하의 바깥쪽을 향한다. 따라서 겨울철에는 은하수가 희미하게 보인다.

천상열차분야지도

조선 태조 4년(1395년)에 제작된 천상열차분야지도는 고구려 때 만들어진 천문도(별지도)를 기본으로 제작한 것으로 알려져 있다. 둥근 원으로 표시된 천문도 안에는 가운데 북극성이 있고, 하늘의 적도와 황도, 은하수가 그려져 있으며, 약 1467개의 별이 표시되어 있다. 별은 점으로 표시되어 있는데, 점의 크기를 다르게 하여 별의 밝기를 나타내었다.

은하수 관측

• 은하수는 우리은하의 일부가 보이는 것이다.
• 북반구와 남반구에서 모두 관측 가능하다.
• 궁수자리 방향에서 가장 폭이 넓고 밝게 보인다.
• 우리나라에서는 여름에 가장 뚜렷하게 보이고, 겨울에는 희미하게 보인다.
• 군데군데 검게 보이는 부분은 티끌이나 먼지에 의해 빛이 가로막힌 것이다.

2. 우리은하를 구성하는 천체 우리은하는 수많은 별, 성간 물질, 성운, 성단 등으로 이루어져 있다.

(1) **성간 물질**: 별과 별 사이의 넓은 공간에 퍼져 있는 가스와 티끌 등을 성간 물질이라고 한다. 성간 물질은 별이 태어나는 데 꼭 필요한 재료가 되는데, 우리은하 내에서 주로 나선팔에 분포한다.

(2) **성운**: 성간 물질은 은하 내의 공간에 골고루 퍼져 있지 않고 군데군데 밀집되어 있어 구름처럼 보이는데, 이를 성운이라고 한다. 성운은 형성 원리에 따라 방출 성운, 반사 성운, 암흑 성운으로 구분할 수 있다. 이들은 주로 우리은하의 나선팔에 분포한다.

① **방출 성운**: 성간 물질이 주변의 별빛을 흡수하여 가열되면서 스스로 빛을 내는 것으로, 주로 붉은색으로 보인다.

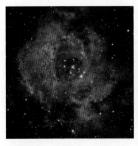 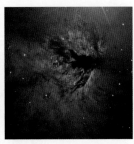 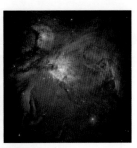

장미 성운   불꽃 성운   오리온 대성운

② **반사 성운**: 성간 물질이 주변의 별빛을 반사하여 밝게 보이는 것으로, 주로 파란색으로 보인다.

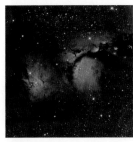  

M78   마귀할멈 성운   러닝맨 성운

③ **암흑 성운**: 성간 물질이 뒤쪽의 별빛을 가로막거나 빛을 흡수하여 어둡게 보이는 것이다.

과학 용어 사전
163쪽

말머리성운   석탄자루 성운   독수리성운

방출 성운의 형성 원리

반사 성운의 형성 원리

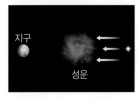
암흑 성운의 형성 원리

(3) 성단: 우리은하에 분포하는 별들은 하나씩 따로 떨어져 있는 것도 있지만 수많은 별이 모여 무리를 이루는 것도 있는데, 이렇게 많은 별이 모여 이루고 있는 집단을 성단이라고 한다. 하나의 성단을 이루는 별들은 거대한 성운 내에서 거의 같은 시기에 생성된 것이다. 따라서 성단을 이루는 별들은 구성 성분이나 나이가 거의 비슷하다. 성단은 별들이 모여 있는 모습에 따라 산개 성단과 구상 성단으로 구분한다.

① 산개 성단: 수십~수만 개의 별들이 일정한 모양 없이 듬성듬성 모여 있는 성단이다. 산개 성단은 대부분 온도가 높아 파란색을 띠는 젊은 별들로 이루어져 있으며, 주로 우리은하의 나선팔에 분포한다.

② 구상 성단: 수만~수십만 개의 별들이 공 모양으로 빽빽하게 모여 있는 성단이다. 구상 성단은 대부분 온도가 낮아 붉은색을 띠는 늙은 별들로 이루어져 있으며, 주로 우리은하의 중심부와 헤일로에 분포한다.

구분	산개 성단	구상 성단
모습		
별의 분포	비교적 엉성하게 모여 있다.	공 모양으로 빽빽하게 모여 있다.
별의 개수	수십~수만 개	수만~수십만 개
별의 색과 표면 온도	파란색을 띠는 고온의 별	붉은색을 띠는 저온의 별
별의 나이	적다.	많다.
분포 위치	우리은하의 나선팔	우리은하 중심부, 헤일로
예	황소자리 산개 성단(좀생이), 백조자리 산개 성단(M39) [과학 용어 사전 163쪽]	헤르쿨레스자리 구상 성단(M13), 센타우루스자리 구상 성단(오메가)

과학 용어 사전 163쪽

학습 내용 Check

정답과 해설 089쪽

1. 태양계가 속해 있는 은하를 _____라고 한다.

2. 우리은하는 중심에 _____ 모양의 구조가 있고, 막대 끝에서부터 나선팔이 휘감고 있다.

3. 우리은하의 지름은 약 _____ pc이고, 태양계는 우리은하 중심으로부터 약 _____ pc 떨어진 곳에 있다.

4. 성간 물질이 뒤쪽의 별빛을 가로막거나 빛을 흡수하여 어둡게 보이는 것을 _____이라고 한다.

5. 수만~수십만 개의 별이 공 모양으로 빽빽하게 모여 있는 성단을 _____이라고 한다.

우리은하에서 산개 성단과 구상 성단의 분포 위치

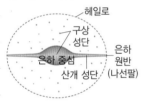

헤일로
구상 성단
은하 중심
산개 성단
은하 원반(나선팔)

---

② 팽창하는 우주

1. 외부 은하 우리은하 밖에 분포하는 은하를 외부 은하라고 한다.

> **자료⁺더하기** **은하의 모양에 따른 분류** 우리은하는 막대 나선 은하에 해당한다.

  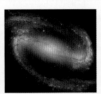 

타원 은하 구형이나 타원 모양이다.

정상 나선 은하 은하 중심에서 나선팔이 휘어져 나온다.

막대 나선 은하 막대 구조의 끝에서 나선팔이 휘어져 나온다.

불규칙 은하 규칙적인 모양이 없다.

2. 팽창하는 우주

(1) **허블의 관측**: 허블은 외부 은하를 관측하여 대부분의 은하들이 우리은하로부터 멀어진다는 사실을 알아냈다. **과학 용어 사전 163쪽**

> **탐구⁺더하기** **우주 팽창 실험하기**
>
> 고무풍선을 약간 불고 붙임딱지를 붙인 후, 붙임딱지 사이의 거리를 잰다. 고무풍선을 더 크게 불고 붙임딱지 사이의 거리를 다시 잰다.
>
> ① 풍선 표면이 팽창함에 따라 붙임딱지 사이의 거리는 서로 멀어진다.
> ② 두 붙임딱지 사이의 거리가 멀수록 더 많이 멀어진다.
> ③ 풍선 표면은 우주, 붙임딱지는 은하에 비유할 수 있다.
>
>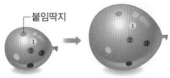
> 붙임딱지

(2) **우주 팽창**: 우주 공간은 풍선 표면처럼 특별한 중심 없이 모든 방향으로 팽창하고 있다. 우주가 팽창하기 때문에 대부분의 은하들은 서로 멀어지고 있으며, 멀리 있는 은하일수록 더 빨리 멀어진다.

(3) **대폭발 우주론**: 약 138억 년 전 매우 뜨겁고 밀도가 큰 한 점이 폭발한 후 계속 팽창하여 오늘날의 우주가 만들어졌다는 이론을 **대폭발(빅뱅) 우주론**이라고 한다.
팽창하고 있는 현재의 우주에서 시간을 거슬러 가면 은하들 사이의 거리는 점차 가까워지고 결국 우주의 모든 물질은 한 점에 모이게 된다.

시간의 흐름

은하

대폭발

팽창하는 우주 모형

허블
미국의 천문학자로, 외부 은하의 존재를 알아냈으며, 관측을 통해 우주가 팽창한다는 사실을 밝혀냈다.

> **용어... 빅뱅**
>
> 빅뱅(Big Bang)은 '크게 쾅'이라는 뜻이다. 빅뱅 우주론을 반대했던 영국의 과학자 호일이 대폭발을 비꼬는 표현으로 빅뱅이라는 용어를 처음 사용하였다.

학습 내용 Check

정답과 해설 089 쪽

1. 우리은하 밖에 있는 수많은 은하를 _____라고 한다.
2. 우주가 매우 뜨거운 한 점에서 대폭발이 일어나 만들어졌다고 설명하는 이론을 _____ 우주론이라고 한다.

3 우주 탐사

1. 우주 탐사의 목적과 방법

(1) **우주 탐사**: 우주를 이해하고자 우주를 탐색하고 조사하는 활동으로, 우주에 대한 인류의 호기심을 해결하기 위해 시작되었다.

(2) **우주 탐사의 목적**

① 지구의 과거와 미래, 우주 환경에 관해 더 깊이 있게 이해하기 위해서이다.

② 지구가 아닌 다른 천체에도 생명체가 살고 있는지 알아보기 위해서이다.

③ 지구에서 얻기 어렵거나 고갈되어 가는 자원을 채취하기 위해서이다.

(3) **우주 탐사 방법**

① 망원경을 이용한 우주 탐사: 지상에 설치한 광학 망원경이나 전파 망원경, 지구 대기 밖으로 쏘아 올린 우주 망원경을 통해 태양계 천체, 별, 은하 등을 탐사하고 있다. 우주 망원경은 지구 대기의 영향을 받지 않으므로 지상에서 관측하는 것보다 선명한 상을 얻을 수 있다.

> 과학 용어 사전
> 163쪽

켁 망원경　　　　　**전파 망원경**　　　　　**허블 우주 망원경**

② 인공위성을 이용한 우주 탐사: 인공위성은 지구나 다른 천체 주위를 일정한 궤도를 따라 공전하면서 탐사하도록 만든 인공의 장치이다. 세계 각국에서는 다양한 목적으로 인공위성을 우주로 내보내고 있다. 허블 우주 망원경, 스피처 우주 망원경도 인공위성의 한 종류이다.

> 과학 용어 사전
> 164쪽

③ 우주 탐사선을 이용한 우주 탐사: 태양계 공간으로 발사한 탐사선을 통해 행성, 소행성, 위성, 혜성 등을 탐사하고 있다.

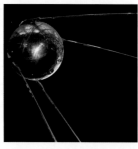  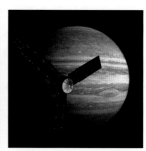

스푸트니크 1호　1957년에 구소련에서 발사한 인류 최초의 인공위성이다.

보이저 1호　1977년에 발사하여 현재까지 작동하고 있는 태양계 탐사선이다.

주노호　2011년 발사 후, 2016년에 목성에 도착하여 목성 궤도를 돌고 있는 탐사선이다.

우주 정거장

지구 주위를 도는 대형 우주 구조물이다. 우주 정거장은 지구 중력의 영향을 받지 않는 무중력 상태이므로 과학자들이 머무르면서 지상에서 하기 어려운 과학 실험이나 신약 개발, 신소재 개발, 우주 환경 등을 연구한다. 최초의 우주 정거장은 1971년에 발사된 살류트이고, 이후 스카이랩, 미르 등이 운용되었으며, 현재는 여러 국가가 참여한 국제 우주 정거장이 운용되고 있다.

국제 우주 정거장(ISS)

2. 우주 탐사의 성과와 의의

(1) 우주 탐사 과정

① 1957년에 스푸트니크 1호가 발사된 이후 경쟁적으로 우주 탐사가 시작되었다.

② 1960년대에는 달 탐사, 1970년대에는 행성 탐사가 주로 이루어졌다.

③ 1990년대 이후에는 행성과 위성, 소행성, 혜성 등 다양한 천체로 탐사 대상이 확대되었다.

④ 최근에는 지구와 조건이 비슷한 외계 행성을 찾는 탐사도 이루어지고 있다.

(2) 우리나라의 우주 탐사

① 인공위성 개발과 운용: 1992년 과학 실험 위성인 우리별 1호를 발사한 이후 우리별 2호와 3호, 과학 기술 위성 1호를 성공적으로 발사하였고, 2010년에는 통신·해양·기상 위성인 천리안 위성을 발사하여 활용하고 있다.

② 우주 센터 건설 및 위성 발사체 개발: 2009년에는 나로 우주 센터가 완공되었으며, 2013년에 나로호 로켓을 발사하였다. (과학 용어 사전 164쪽)

(3) 우주 탐사의 의의

① 우주 탐사 과정에서 얻은 우주와 천체에 대한 지식으로 지구를 더 잘 이해할 수 있게 되었다.

② 우주 탐사를 위한 연구를 계속하면서 천문학, 물리학, 공학 등의 학문이 발전하였다.

③ 인공위성이나 우주 탐사선, 로켓 등을 제작하기 위한 다양한 기술이 융합하며 발달하였다.

④ 인공위성 개발자, 위성 관제 센터 연구원 등 우주 과학과 관련된 여러 전문 분야가 생겨났다.

⑤ 우주 탐사를 위해 개발된 첨단 기술이 실생활에 적용되어 우리 삶의 질을 높이고 있다. 예 안경테, 정수기, 전자레인지, 에어쿠션 운동화, 위성 항법 시스템 (GPS) 등 (과학 용어 사전 164쪽)

안경테   정수기   전자레인지   에어쿠션 운동화   GPS

학습 내용 Check

정답과 해설 089쪽

1. 우주를 이해하고자 우주를 탐색하고 조사하는 활동을 _____라고 한다.

2. _____은 천체 주위를 돌도록 만든 인공의 장치로, 1957년에 최초로 발사되었다.

3. 정수기, 전자레인지 등은 _____ 탐사를 위해 개발된 기술이 실생활에 적용된 예이다.

우주 탐사의 역사

- 1957년: 최초의 인공위성 발사 성공
- 1969년: 아폴로 11호가 인류 최초로 달 착륙에 성공
- 1989년: 보이저 2호 해왕성 통과
- 1990년: 허블 우주 망원경을 이용한 우주 관측
- 2012년: 탐사 로봇 큐리오시티 화성 착륙
- 2015년: 뉴허라이즌스호 명왕성 근접 통과
- 2018년: 파커 탐사선 태양 대기권 진입

우주 쓰레기

인공위성의 발사나 폐기 과정 등에서 수많은 우주 쓰레기가 생긴다. 이러한 우주 쓰레기는 지구 주위를 매우 빠른 속도로 돌면서 운행 중인 인공위성이나 탐사선에 큰 피해를 입힐 수 있다.

인공위성이 우리 생활에 이용되는 예

- 기상 위성을 이용하여 일기 예보를 하고, 태풍의 경로를 예측하여 피해를 줄일 수 있다.
- 방송 통신 위성을 이용하여 지구 반대편에서 열리는 스포츠 경기를 실시간으로 볼 수 있다.
- 방송 통신 위성을 이용하여 다른 나라에 있는 친구와 쉽게 전화 통화를 할 수 있다.
- 방송 통신 위성과 항법 위성을 이용하여 자신이 있는 위치를 파악하고 모르는 길을 찾을 수 있다.

심화 도플러 효과

구급차나 소방차가 지나갈 때 사이렌 소리의 높이가 높아지다가 갑자기 낮아지는 현상을 도플러 효과라고 한다. 이는 움직이는 물체에서 나오는 소리나 빛이 변질되는 현상으로, 이를 통해 물체의 접근과 후퇴 속도를 알 수 있다.

❶ 소리의 도플러 효과

그림 (가)와 같이 정지 상태의 물체가 내는 소리 파동의 파면은 물체에 대해 동심원을 이루며, 관찰자 A, B에게 들리는 소리의 파장은 같다. 그런데 그림 (나)와 같이 소리를 내는 물체가 관찰자 B에게로 접근하면 소리의 진동수가 증가하고 파장이 원래보다 짧아진다. 그 결과 관찰자 B에게는 원래 소리보다 더 높은 음으로 들리게 된다. 반면 소리를 내는 물체가 관찰자 A에게서 멀어지면 소리의 진동수가 감소하고 파장이 원래보다 길어진다. 그 결과 관찰자 A에게는 원래 소리보다 더 낮은 음으로 들리게 된다.

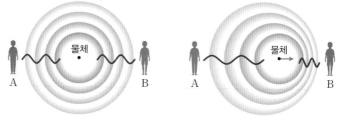

(가) 물체가 정지하고 있을 때   (나) 물체가 이동하고 있을 때

❷ 빛의 도플러 효과

별이나 은하와 같은 천체들이 내는 빛에서도 도플러 효과가 나타난다.

① 천체가 관측자와 가까워질 때: 천체가 정지해 있을 때보다 빛의 파장이 짧아지면서 스펙트럼 흡수선이 파란색 쪽으로 치우치는데, 이를 청색 편이라고 한다. → 별이 접근하는 속도가 클수록 청색 편이가 크게 나타난다.

② 천체가 관측자로부터 멀어질 때: 천체가 정지해 있을 때보다 빛의 파장이 길어지면서 스펙트럼 흡수선이 붉은색 쪽으로 치우치는데, 이를 적색 편이라고 한다. → 별이 멀어지는 속도가 클수록 적색 편이가 크게 나타난다.

청색 편이와 적색 편이

❸ 도플러 효과와 우주 팽창

우주에서 흡수 스펙트럼을 관측한 결과 모든 방향의 은하에서 적색 편이가 관측되었는데, 이는 대부분의 은하들이 모든 방향에서 멀어지고 있다는 의미이다. 또한 먼 은하일수록 적색 편이량이 크게 관측되었는데, 이는 먼 은하일수록 빠른 속도로 후퇴함을 의미한다. 이러한 사실은 우주 공간이 팽창하고 있다는 결정적인 증거가 되었다.

중단원 핵심 정리

1-1 우리은하의 모양과 크기

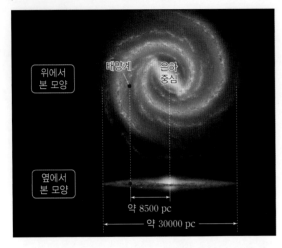

위에서 본 모양 · 태양계 · 은하 중심 · 옆에서 본 모양 · 약 8500 pc · 약 30000 pc

① **모양**: 위에서 보면 은하 중심에 **막대 모양의 구조**가 있고, 막대 끝에는 소용돌이 모양의 **나선팔**이 휘감고 있다. 옆에서 보면 **납작한 원반 모양**이고 가운데가 볼록하게 부풀어 있다.

② **크기**: 지름 약 **30000 pc**(≒10만 광년)

③ **태양계 위치**: 은하 중심에서 약 **8500 pc**(≒3만 광년) 떨어진 나선팔에 위치 → 은하수는 지구에서 우리은하의 일부를 본 모습이다.

1-2 우리은하를 구성하는 천체

① **성간 물질**: 별과 별 사이의 공간에 퍼져 있는 가스와 티끌

② **성운**: 성간 물질이 모여 구름처럼 보이는 천체

구분	특징
방출 성운	성간 물질이 주변의 별빛을 흡수하여 가열되면서 스스로 빛을 내는 것으로, 주로 붉은색으로 보인다.
반사 성운	성간 물질이 주변의 별빛을 반사하여 밝게 보이는 것으로, 주로 파란색으로 보인다.
암흑 성운	성간 물질이 뒤쪽의 별빛을 가로막거나 빛을 흡수하여 어둡게 보이는 것이다.

③ **성단**: 성운 내에서 비슷한 시기에 태어난 별들의 집단

구분	산개 성단	구상 성단
별의 분포	비교적 엉성하게 모여 있다.	공 모양으로 빽빽하게 모여 있다.
별의 개수	수십~수만 개	수만~수십만 개
별의 색과 표면 온도	파란색을 띠는 고온의 별	붉은색을 띠는 저온의 별
분포 위치	우리은하의 나선팔	우리은하 중심부, 헤일로

2 팽창하는 우주

① **우주 팽창**: 외부 은하를 관측한 결과, 대부분의 외부 은하들이 서로 멀어지고 있다. → 은하들이 서로 멀어지는 것은 우주가 팽창하기 때문이며, 팽창하는 우주에서 특별한 중심은 없다.

② **대폭발(빅뱅) 우주론**: 우주는 과거 모든 물질과 에너지가 모인 고온의 한 점에서 대폭발로 시작하였으며, 점점 팽창하여 현재의 우주가 되었다는 이론

3 우주 탐사

① **우주 탐사**: 우주를 이해하고자 우주를 탐색하고 조사하는 활동 → 망원경, 인공위성, 우주 탐사선 등을 이용하여 탐사

② **우주 탐사의 의의**
- 우주와 지구에 대한 이해와 호기심 충족
- 우주 기술로 만들어진 제품이 일상생활에 적용되어 삶의 질 향상

01 우리은하에 대한 설명으로 옳은 것을 보기에서 모두 고른 것은?

┌ 보기 ─────────────────────
ㄱ. 중심부에 막대 모양의 구조가 있다.
ㄴ. 옆에서 보면 중심부가 부풀어 있는 원반 모양이다.
ㄷ. 태양계는 우리은하의 중심부에 위치한다.
└──────────────────────────

① ㄱ   ② ㄷ   ③ ㄱ, ㄴ
④ ㄴ, ㄷ   ⑤ ㄱ, ㄴ, ㄷ

02 그림은 우리은하의 모습을 나타낸 것이다.

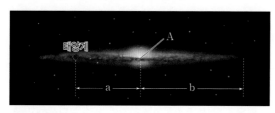

이에 대한 설명으로 옳은 것을 보기에서 모두 고른 것은?

┌ 보기 ─────────────────────
ㄱ. 우리은하를 옆에서 본 모습이다.
ㄴ. a는 약 8500 pc이고, b는 약 30000 pc이다.
ㄷ. A에는 주로 산개 성단이 분포한다.
└──────────────────────────

① ㄱ   ② ㄷ   ③ ㄱ, ㄴ
④ ㄴ, ㄷ   ⑤ ㄱ, ㄴ, ㄷ

03 우리은하를 구성하는 천체에 대한 설명으로 옳은 것을 보기에서 모두 고른 것은?

┌ 보기 ─────────────────────
ㄱ. 별과 별 사이의 공간에는 성간 물질이 있다.
ㄴ. 많은 별들이 모여 무리를 이루는 것을 성운이라고 한다.
ㄷ. 구상 성단은 수십~수만 개의 별들이 엉성하게 흩어져 있는 천체이다.
└──────────────────────────

① ㄱ   ② ㄴ   ③ ㄱ, ㄷ
④ ㄴ, ㄷ   ⑤ ㄱ, ㄴ, ㄷ

04 그림 (가)와 (나)는 서로 다른 성운을 나타낸 것이다.

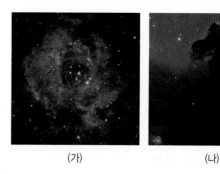

(가)   (나)

이에 대한 설명으로 옳은 것을 보기에서 모두 고른 것은?

┌ 보기 ─────────────────────
ㄱ. (가)는 주위의 별빛을 반사하여 밝게 보인다.
ㄴ. (나)의 검은 부분은 어떤 물질도 없는 비어 있는 공간이다.
ㄷ. (가)와 (나)는 모두 우리은하를 구성하는 천체이다.
└──────────────────────────

① ㄱ   ② ㄴ   ③ ㄷ
④ ㄱ, ㄴ   ⑤ ㄱ, ㄴ, ㄷ

05 그림 (가)와 (나)는 서로 다른 성단을 나타낸 것이다.

(가)   (나)

이에 대한 설명으로 옳은 것을 보기에서 모두 고른 것은?

> **보기**
> ㄱ. (가)는 산개 성단, (나)는 구상 성단이다.
> ㄴ. (나)는 주로 우리은하의 나선팔에 분포한다.
> ㄷ. (가)는 (나)보다 온도가 높은 별들로 이루어져 있다.

① ㄱ   ② ㄴ   ③ ㄷ
④ ㄱ, ㄷ   ⑤ ㄴ, ㄷ

06 그림은 우주 팽창을 알아보기 위한 실험을 나타낸 것이다.

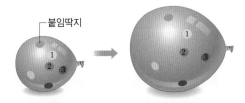

이에 대한 설명으로 옳은 것을 보기에서 모두 고른 것은?

> **보기**
> ㄱ. 풍선이 부풀어 오르면 붙임딱지 사이의 거리는 멀어진다.
> ㄴ. 붙임딱지 사이의 거리가 멀수록 거리 변화가 더 크다.
> ㄷ. 풍선의 표면은 우주, 붙임딱지는 은하에 비유할 수 있다.

① ㄱ   ② ㄴ   ③ ㄷ
④ ㄱ, ㄷ   ⑤ ㄱ, ㄴ, ㄷ

07 우주 탐사에 대한 설명으로 옳은 것을 보기에서 모두 고른 것은?

> **보기**
> ㄱ. 우주를 이해하고자 우주를 탐색하고 조사하는 활동이다.
> ㄴ. 우주 탐사를 위해서는 우주로 직접 나가야 한다.
> ㄷ. 우주 탐사에는 막대한 비용이 필요하므로 우리나라는 우주 탐사에 참여하지 않고 있다.

① ㄱ   ② ㄴ   ③ ㄱ, ㄷ
④ ㄴ, ㄷ   ⑤ ㄱ, ㄴ, ㄷ

08 우주 탐사가 인류에게 미치는 영향으로 옳은 것을 보기에서 모두 고른 것은?

> **보기**
> ㄱ. 지구를 더 깊게 이해할 수 있게 되었다.
> ㄴ. 인공위성을 이용하여 일기 예보를 하거나 위치 정보를 얻을 수 있다.
> ㄷ. 우주 탐사를 위해 개발된 과학기술은 우주 탐사를 위해서만 쓰인다.

① ㄱ   ② ㄴ   ③ ㄷ
④ ㄱ, ㄴ   ⑤ ㄱ, ㄴ, ㄷ

01 그림은 천상열차분야지도를 나타낸 것이다.

띠 모양으로 나타나는 A에 대한 설명으로 옳은 것을 보기에서 모두 고른 것은?

> 보기
> ㄱ. 은하수를 표현한 것이다.
> ㄴ. 지구에서 본 우리은하 전체의 모습이다.
> ㄷ. 우리나라에서는 여름철보다 겨울철에 폭이 더 넓고 밝게 보인다.

① ㄱ   ② ㄴ   ③ ㄷ
④ ㄱ, ㄴ   ⑤ ㄱ, ㄷ

02 그림 (가)와 (나)는 서로 다른 성운의 형성 원리를 나타낸 것이다.

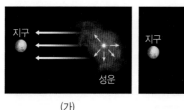
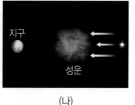

(가)   (나)

이에 대한 설명으로 옳은 것을 보기에서 모두 고른 것은?

> 보기
> ㄱ. (가)는 방출 성운, (나)는 반사 성운의 형성 원리이다.
> ㄴ. (가)의 성운은 (나)의 성운보다 밝게 보인다.
> ㄷ. 오리온자리의 말머리성운은 (나)와 같은 원리로 형성된다.

① ㄱ   ② ㄷ   ③ ㄱ, ㄴ
④ ㄴ, ㄷ   ⑤ ㄱ, ㄴ, ㄷ

03 그림은 우주가 팽창하는 과정과 은하의 분포를 나타낸 것이다.

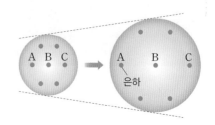

우주가 팽창하면서 나타나는 변화에 대한 설명으로 옳은 것을 보기에서 모두 고른 것은?

> 보기
> ㄱ. 은하 사이의 거리가 멀어진다.
> ㄴ. 팽창하는 우주의 중심은 B이다.
> ㄷ. 시간을 거꾸로 돌리면 우주는 매우 뜨겁고 밀도가 큰 한 점에 모일 것이다.

① ㄱ   ② ㄴ   ③ ㄷ
④ ㄱ, ㄷ   ⑤ ㄴ, ㄷ

04 다음은 인류의 우주 탐사 성과를 순서 없이 나열한 것이다.

> (가) 나로호 로켓을 발사하였다.
> (나) 스푸트니크 1호가 발사되었다.
> (다) 인류가 최초로 달에 착륙하였다.
> (라) 허블 우주 망원경으로 우주를 관측하기 시작하였다.

먼저 일어난 사건부터 순서대로 옳게 나열한 것은?

① (가)―(나)―(다)―(라)
② (가)―(다)―(나)―(라)
③ (나)―(가)―(라)―(다)
④ (나)―(다)―(라)―(가)
⑤ (다)―(나)―(가)―(라)

☞ 제시된 Keyword를 이용하여 문제를 해결해 보자.

1 그림은 우리은하의 옆모습을 나타낸 것이다.

우리은하의 원반부를 따라 수평으로 검은 띠가 나타나는 까닭을 설명하시오.

Keyword 성간 물질, 흡수

_____

_____

2 그림 (가)와 (나)는 각각 우리나라 여름철과 겨울철에 은하수를 관측한 사진이다.

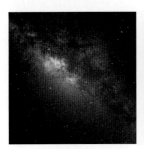

(가) 여름철 은하수　　　　(나) 겨울철 은하수

은하수가 겨울철보다 여름철에 더 크고 밝게 보이는 까닭을 우리은하의 모양과 태양계의 위치를 연관 지어 설명하시오.

Keyword 원반 모양, 태양계의 위치, 은하수

_____

_____

3 그림 (가)와 (나)는 서로 다른 종류의 성단을 나타낸 것이다.

(가)　　　　　　　　　(나)

(가)와 (나) 성단의 종류를 각각 쓰고, 성단을 주로 이루고 있는 별의 특징을 두 가지씩 설명하시오.

Keyword 산개 성단, 구상 성단, 고온, 저온

_____

_____

4 그림은 대폭발 우주론에서 시간에 따른 우주의 모습 변화를 나타낸 것이다.

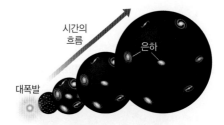

(1) 우주가 팽창한 근거를 은하의 운동과 관련지어 설명하시오.

Keyword 은하 사이의 거리

_____

_____

(2) 우주가 팽창함에 따라 우주의 밀도는 어떻게 변하는지 설명하시오.

Keyword 팽창, 부피, 밀도

_____

_____

1 그림은 별 A와 B를 6개월 간격으로 관측한 모습을 나타낸 것이다.

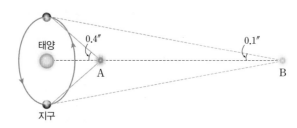

이에 대한 설명으로 옳은 것을 보기에서 모두 고른 것은? (단, 별 A와 B의 절대 등급은 1등급으로 같다.)

─ 보기 ─
ㄱ. 별 A의 연주 시차는 0.4″이고, 별 B의 연주 시차는 0.1″이다.
ㄴ. 지구에서 별까지의 거리는 별 B가 A보다 4배 더 멀다.
ㄷ. 별 A의 겉보기 등급은 1등급이다.

① ㄱ   ② ㄷ   ③ ㄱ, ㄴ   ④ ㄴ, ㄷ   ⑤ ㄱ, ㄴ, ㄷ

Tip
별의 밝기는 거리의 제곱에 반비례한다.

2 그림 (가)는 1년 동안 관측한 별 S의 위치 변화를 나타낸 것이고, (나)는 이 기간 동안 별 S와 배경별이 이루는 각도(θ)의 변화를 나타낸 것이다.

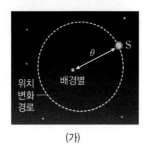

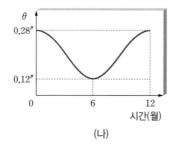

(가)   (나)

별 S에 대한 설명으로 옳은 것을 보기에서 모두 고른 것은?

─ 보기 ─
ㄱ. 별 S의 위치 변화는 지구의 공전 때문에 나타나는 현상이다.
ㄴ. 별 S까지의 거리는 5 pc이다.
ㄷ. θ가 변하는 것은 지구와의 거리가 달라지기 때문이다.

① ㄱ   ② ㄷ   ③ ㄱ, ㄴ   ④ ㄴ, ㄷ   ⑤ ㄱ, ㄴ, ㄷ

Tip
황도 북극 방향의 별은 연주 시차의 궤적이 원 모양으로 나타난다.

3 그림은 주기적으로 밝기가 변하는 어느 별의 시간에 따른 겉보기 등급 변화를 나타낸 것이다.

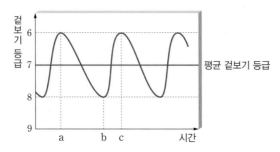

Tip
겉보기 등급이 작을수록 밝게 보이는 별이며, 1등급 간의 밝기 차이는 약 2.5배이다.

이에 대한 설명으로 옳은 것을 보기에서 모두 고른 것은?

┌─ 보기 ───┐
│ ㄱ. 별이 가장 밝을 때와 가장 어두울 때의 밝기 차이는 약 2배이다. │
│ ㄴ. 시간에 따른 밝기의 변화는 a~b 구간보다 b~c 구간에서 크다. │
│ ㄷ. 이 별의 절대 등급이 2등급이면 지구로부터의 거리는 10 pc보다 멀다. │
└──┘

① ㄱ　　　② ㄷ　　　③ ㄱ, ㄴ　　　④ ㄴ, ㄷ　　　⑤ ㄱ, ㄴ, ㄷ

4 그림 (가)와 (나)는 우리나라에서 서로 다른 계절에 은하수를 관측한 사진이다.

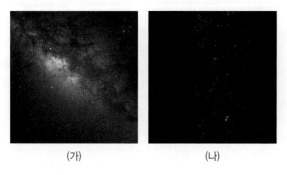

(가)　　　　　　　　(나)

Tip
우리은하는 중심부가 볼록한 원반 모양이며, 태양계는 우리은하의 중심에서 약 8500 pc 떨어진 나선팔에 위치해 있다.

이에 대한 설명으로 옳은 것을 보기에서 모두 고른 것은?

┌─ 보기 ───┐
│ ㄱ. (가)는 여름철 은하수이고, (나)는 겨울철 은하수이다. │
│ ㄴ. (가)는 궁수자리 방향을 관측한 것이다. │
│ ㄷ. (가)와 (나)의 차이는 태양계가 우리은하의 중심에 있지 않기 때문에 나타난다. │
└──┘

① ㄱ　　　② ㄷ　　　③ ㄱ, ㄴ　　　④ ㄴ, ㄷ　　　⑤ ㄱ, ㄴ, ㄷ

5 그림은 구성하는 별의 색과 나이에 따라 성단을 A와 B 두 종류로 분류한 것이다.

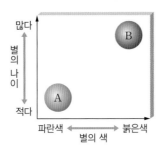

이에 대한 설명으로 옳은 것을 보기에서 모두 고른 것은?

보기

ㄱ. A를 구성하는 별의 수는 수십~수만 개이다.

ㄴ. A는 비교적 온도가 높은 별들로 이루어져 있다.

ㄷ. B는 주로 우리은하의 나선팔에 분포한다.

① ㄱ   ② ㄷ   ③ ㄱ, ㄴ   ④ ㄴ, ㄷ   ⑤ ㄱ, ㄴ, ㄷ

Tip

산개 성단은 주로 파란색을 띠는 별들로 이루어져 있고, 구상 성단은 주로 붉은색을 띠는 별들로 이루어져 있다.

6 그림 (가)~(다)는 여러 가지 천체의 모습을 나타낸 것이다.

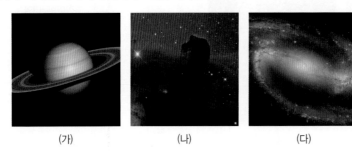

(가)   (나)   (다)

이에 대한 설명으로 옳은 것을 보기에서 모두 고른 것은?

보기

ㄱ. (가)는 우리은하를 구성하는 천체이다.

ㄴ. (나)는 우리은하의 중심부에 주로 분포한다.

ㄷ. (다)는 우리은하와 비슷한 모양의 외부 은하이다.

① ㄱ   ② ㄴ   ③ ㄷ   ④ ㄱ, ㄷ   ⑤ ㄱ, ㄴ, ㄷ

Tip

우리은하 내에서 성운은 주로 나선팔에 분포하며, 별이 태어나는 장소가 된다.

7 그림 (가)는 별이 지구에 접근할 때와 멀어질 때 나타나는 스펙트럼의 변화를 설명한 것이고, (나)는 우주가 팽창하는 모습을 나타낸 모식도이다.

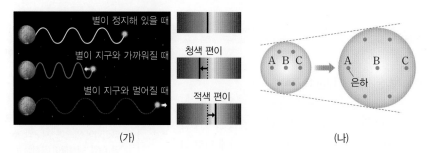

(가)　　　　　　　　　　　　(나)

이에 대한 설명으로 옳은 것을 보기에서 모두 고른 것은?

보기
ㄱ. 대부분의 은하에서 적색 편이가 나타난다.
ㄴ. 어떤 은하에서 관측해도 편이의 크기는 같다.
ㄷ. 팽창하는 우주에서 은하의 이동 방향과 속도는 모두 같다.

① ㄱ　　　　② ㄷ　　　　③ ㄱ, ㄴ　　　　④ ㄱ, ㄷ　　　　⑤ ㄴ, ㄷ

Tip
팽창하는 우주에서 은하는 서로 멀어지고, 먼 은하일수록 후퇴하는 속도가 빠르다.

적색 편이
후퇴하는 물체에서 나오는 빛의 파장이 길어지는 현상으로, 후퇴 속도가 빠를수록 적색 편이도 크게 나타난다.

8 그림 (가)와 (나)는 우주 탐사에 이용되는 서로 다른 종류의 망원경을 나타낸 것이다.

(가)　　　　　　　　　　　(나)

이에 대한 설명으로 옳은 것을 보기에서 모두 고른 것은?

보기
ㄱ. (가)는 지상에서, (나)는 지구 밖의 우주 공간에서 관측한다.
ㄴ. (가)는 주로 가시광선보다 파장이 긴 전파를 관측한다.
ㄷ. (나)로 관측하면 지상에서 관측하는 것보다 선명한 천체의 상을 얻을 수 있다.

① ㄱ　　　　② ㄴ　　　　③ ㄱ, ㄷ　　　　④ ㄴ, ㄷ　　　　⑤ ㄱ, ㄴ, ㄷ

Tip
우주 망원경은 지구 대기 밖 우주 공간에서 관측을 수행하는 망원경이다.

예제

다음은 과학의 역사에서 연주 시차의 발견이 갖는 의미에 대한 내용이다.

> 덴마크의 천문학자인 티코 브라헤는 코페르니쿠스의 지동설이 옳다면 별의 시차가 발생할 것이라고 생각하여 별의 시차를 찾고자 노력하였으나 실패하였다. 당시에 티코 브라헤가 실패했던 까닭은 아직 망원경이 발명되지 않아 육안으로 관측할 수밖에 없었기 때문이다. 이후 베셀이 백조자리 61번 별을 관측하여 연주 시차가 약 $0.313''$임을 알아냄으로써 천동설은 부정되고 지동설이 확고하게 받아들여지게 되었다. 이때 $1''$(초)는 $1°$(도)의 $\frac{1}{3600}$에 해당하는 매우 작은 값이다. 오늘날 우리에게 가장 가까운 별인 센타우루스자리의 프록시마는 연주 시차가 약 $0.764''$이다.

(1) 별의 연주 시차가 발생하는 원리를 설명하고, 지동설의 증거가 되는 까닭을 설명하시오.

(2) 백조자리 61번 별과 프록시마의 거리를 구하시오.

문제 해결을 위한 배경 지식
- **천동설**: 지구가 우주의 중심으로 고정되어 있으며, 지구의 둘레를 달, 태양, 행성들이 공전하고 있다는 이론이다.
- **지동설**: 지구가 태양을 중심으로 공전하고 있다는 이론이다.

▶▶ 해결 전략 클리닉 ◀◀

천동설과 지동설에서 지구의 움직임을 생각해 보아야 한다.

❶ 천동설은 지구가 고정되어 있고 태양, 행성 등이 지구를 중심으로 공전한다는 이론이고, 지동설은 지구 태양을 중심으로 공전한다는 이론이다.

❷ 연주 시차는 6개월 간격으로 가까운 별을 관측했을 때 나타나는 시차의 $\frac{1}{2}$이다.

❸ 연주 시차는 별까지의 거리에 반비례한다.

Keyword
(1) 공전, 연주 시차
(2) 연주 시차, 거리의 역수

▶ 모범 답안 ◀

(1) 지구는 태양을 중심으로 1년에 한 바퀴 공전하므로 6개월 간격으로 공전 궤도의 양 끝에서 가까운 별을 관측하면 멀리 있는 배경별에 대하여 가까운 별의 위치가 달라져 보인다. 이때 지구에서 6개월 간격으로 관측한 시차의 $\frac{1}{2}$을 별의 연주 시차라고 한다. 연주 시차는 별이 실제로 천구상에서 움직여 간 것이 아니라 지구가 공전하기 때문에 나타나는 현상이므로, 지구가 공전하지 않는 천동설에서는 연주 시차가 생기지 않는다. 따라서 연주 시차는 지구가 공전하는 지동설의 증거가 된다.

(2) 별까지의 거리(pc)$=\dfrac{1}{\text{연주 시차}('')}$이다. 따라서 백조자리 61번 별까지의 거리는 $\dfrac{1}{0.313''} ≒ 3.19$ pc이고, 프록시마의 거리는 $\dfrac{1}{0.764''} ≒ 1.31$ pc이다.

완벽한 답안 작성을 위한 tip
(1) 지구의 공전과 연관 지어 설명한다.
(2) 연주 시차는 별까지의 거리와 반비례 관계에 있음을 알고 식을 세워 구한다.

실전 문제

1 ⟨창의적⟩ 문제 해결형
다음은 별 S의 연주 시차를 구하는 과정을 나타낸 것이다.

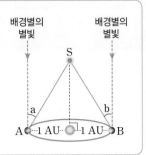

(가) 지구가 6개월 간격으로 A와 B에 위치할 때, 배경별과 별 S가 이루는 각도 a와 b를 각각 측정한다.

(나) a와 b를 이용하여 연주 시차를 구한다.

연주 시차를 구하기 위해 배경별의 별빛과 관련하여 필요한 가정은 무엇인지 쓰고, 지구로부터 별 S까지의 거리를 각도 a와 b로 나타내시오. (단, a와 b의 단위는 ″(초)이고, 거리 단위는 pc이다.)

Tip

배경별의 별빛과 나란하게 별 S를 지나는 선을 그린 후 연주 시차는 얼마인지 생각해 본다.

Keyword

평행 관계, 연주 시차

2 ⟨단계적⟩ 문제 해결형
그림은 별의 (겉보기 등급−절대 등급) 값과 거리 관계를, 표는 별 A, B의 겉보기 등급과 절대 등급을 나타낸 것이다.

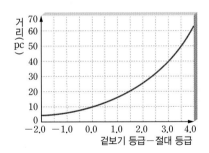

별	A	B
겉보기 등급	1.8	−0.3
절대 등급	−1.7	1.4

(1) 위 자료를 활용하여 별 A까지의 거리와 연주 시차를 구하시오.

(2) A와 B 중 연주 시차가 더 큰 별을 고르고, 그 까닭을 설명하시오.

Tip

연주 시차와 별까지의 거리는 어떤 관계가 있는지 생각해 본다.

Keyword

(겉보기 등급−절대 등급), 거리, 연주 시차

3 논리적 서술형
그림은 우리은하를 옆에서 본 모습을 나타낸 것이다.

(1) A 위치에서 은하수는 어떻게 보이는지 설명하시오.

_____

_____

(2) B 위치에서 은하수는 어떻게 보이는지 설명하시오.

_____

_____

Tip
은하수는 우리은하에 속한 지구에서 우리은하를 바라본 모습임을 떠올리고, 우리은하의 모양을 생각해 본다.

Keyword
계절, 은하수, 우리은하의 중심

4 논리적 서술형
그림 (가)는 오리온자리 부근에 있는 말머리성운의 모습이고, (나)는 우리나라에서 관측한 은하수의 모습이다.

(가)   (나)

(1) 말머리성운을 이루고 있는 주된 구성 요소를 쓰시오.

_____

_____

(2) 말머리성운이 관측되는 원리를 이용하여 은하수에서 군데군데 어둡게 보이는 부분이 나타나는 까닭을 설명하시오.

_____

_____

Tip
암흑 성운의 발생 원리를 생각해 본다.

Keyword
성간 물질, 별빛

5 단계적 문제 해결형

그림은 은하 A~C의 상대적인 이동 속도와 방향을 나타낸 것이다.

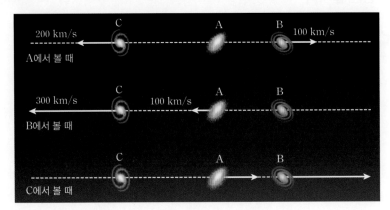

(1) 은하 C에서 볼 때 은하 A, B의 이동 속도를 설명하시오.

_____

_____

(2) 위 자료로부터 우주가 팽창하고 있음을 증명할 수 있는 까닭을 설명하시오.

_____

_____

Tip

우주가 팽창하면 어떤 은하에서 관측해도 모든 은하는 멀어지는 것처럼 관측된다.

Keyword

팽창, 후퇴 속도

6 논리적 서술형

다음은 우주 환경을 이용하여 제품을 생산하거나 천체를 관측하는 내용이다.

> (가) 최초로 우주에서 만든 제품은 1980년대 우주 왕복선에서 액체 플라스틱으로 만든 완벽한 구 형태의 공이다. 바늘 끝 정도 크기의 이 공은 현미경 위의 미세한 물질의 크기를 측정하는 기준으로 사용될 수 있다.
> (나) 우주선에 망원경을 부착하여 천체를 더욱 정밀하게 관측할 수 있다.

(가)와 (나)는 우주의 어떤 환경을 이용한 것인지 각각 설명하시오.

_____

_____

Tip

우주 환경은 중력의 상태, 공기의 유무 등과 같은 면에서 지구의 환경과 많이 다르다.

Keyword

무중력, 대기

오리온의 전설을 담은 별자리

오리온자리

별자리는 대략 기원전 3000년 바빌로니아 부근에서 시작된 것으로 알려져 있다. 이후 그리스, 로마 등으로 전승되었고 별자리에 자신들의 신화에 나오는 영웅이나 동물 등의 이름을 붙였다. 기원전 8세기경 호머와 헤소이드의 작품에는 오리온과 큰곰자리 등이 언급되고, 기원전 3세기경 시인 아라투스의 '파이노메나'에서는 44개의 별자리 목록이 소개되었다.

현재 쓰이는 별자리는 2세기 후반 그리스의 천문학자 프톨레마이오스가 정리한 48개를 기원으로 하고 있다. 중세에 접어들며 별자리를 성도에 나타내려는 시도가 시작되었는데, 페터 아피안에 의해 맨 처음 나온 성도에는 프톨레마이오스의 48개 별자리뿐만 아니라 머리털자리와 사냥개자리가 추가되었다. 이후 티코 브라헤, 요하네스 헤벨리우스가 조금씩 수정을 하였고 17세기 이후로 일부 별자리가 나뉘었다. 1750년경 프랑스의 천문학자 라카유가 남쪽 하늘의 별자리를 관측하여 14개의 별자리를 추가하면서 현재와 같은 88개의 별자리가 생겨났다.

19세기에서 20세기 초에는 별자리 이름이 곳에 따라 다르게 사용되고, 그 경계도 학자마다 달라서 자주 혼동이 생기고 불편한 일이 많았다. 그래서 1930년 국제천문연맹에서는 하늘 전체를 88개의 별자리로 나누고, 황도를 따라서 12개, 북반구 하늘에 28개, 남반구 하늘에 48개의 별자리를 각각 확정하고, 지금까지 알려진 별자리의 주요 별이 바뀌지 않는 범위에서 천구상의 적경, 적위에 평행인 선으로 경계를 정하였다. 이것이 현재 쓰이고 있는 별자리이다.

성도

우리나라 겨울철에는 남쪽 하늘에서 오리온자리를 볼 수 있다. 그리스 신화에 따르면 오리온은 바다의 신 포세이돈과 괴물 고르고의 딸인 에우리알레와의 사이에서 태어난 뛰어난 미남 사냥꾼이었다. 오리온은 첫 번째 아내인 시데가 헤라에 의해 지하로 쫓겨나면서 혼자가 되었으나, 키오스 섬에서 메르페를 만나 청혼을 하게 되었다. 그러나 그녀의 아버지인 오이노피온 왕은 오리온이 마음에 들지 않아 자고 있는 오리온을 장님으로 만들어 쫓아내었다. 이후 동쪽 수평선에서 떠오르는 태양을 보고 시력을 회복할 수 있었던 오리온은 사냥의 여신인 아르테미스를 만나 오

이노피온 왕에 대한 복수를 포기하고 행복한 나날을 보내게 되었다. 그러나 아르테미스의 쌍둥이 오빠 아폴론 역시 오리온이 마음에 들지 않아 여동생과 떼어 놓으려 했다. 아폴론은 어느 날 바다 멀리서 사냥을 하고 있는 오리온을 발견하고 오리온을 과녁 삼아 동생과 내기를 하였다. 오리온인 줄 모르는 아르테미스는 사냥의 여신답게 오리온의 머리를 정확히 명중시켰다. 나중에 자신이 쏘아 죽인 것이 오리온이라는 것을 알게 된 아르테미스는 비탄에 빠졌고, 아르테미스의 슬픔을 달래주기 위해 제우스는 오리온을 밤하늘의 별자리로 만들어 언제나 볼 수 있도록 하였다.

오리온자리에는 왼쪽 위와 오른쪽 아래에 유난히 밝게 빛나는 두 별이 있다. 왼쪽 위에 있는 별이 베텔게우스, 오른쪽 아래의 별이 리겔로서 모두 0등성에 가까운 밝은 별이지만, 표면 온도가 낮은 베텔게우스는 붉은색으로 보이고, 표면 온도가 높은 리겔은 청백색으로 보인다. 베텔게우스는 별의 수명을 다하고 팽창하여 크기가 커진 별의 진화 단계 마지막에 다다른 별로서 천문학자들은 곧 폭발할 것으로 예측하고 있다. 반면 리겔은 베텔게우스와 반대로 태어난 지 얼마 되지 않은 매우 뜨거운 젊은 별이다.

오리온자리

VIII

과학기술과 인류 문명

 01 과학기술과 인류 문명

인류가 불을 사용하고 여러 가지 도구를 사용하기 시작한 이후로 인류의 문명은 과학기술과 함께 발달해 왔다.

이 단원에서는 과학기술이 인류 문명에 미친 영향을 알아보고, 앞으로의 과학기술 발달이 우리에게 미치는 영향에 대해 알아보자.

01 과학기술과 인류 문명

우리가 누리는 편리한 생활의 바탕에는 과학기술이 있다. 과학기술은 우리의 생활을 편리하게 해 줄 뿐만 아니라 사회에도 영향을 미친다. 이 단원에서는 과학기술이 인류 문명 발달에 미친 영향, 우리를 편리하게 해 주는 과학기술, 과학기술이 미래에 미치는 영향을 알아보자.

① 과학기술과 인류 문명의 발달

1. 불의 이용과 인류 문명의 발달

(1) **초기 불의 이용**: 어둠을 밝히거나 추위를 막고, 위협적인 동물을 쫓아내고 음식을 조리하는 데 불을 이용하게 되면서 인류는 생존에 유리해졌다.

(2) **불을 이용한 도구의 제작**: 불을 이용하여 토기를 만들고, 청동이나 철 등의 금속을 이용하게 되면서 인류 문명이 발달하게 되었다.

토기 제작	청동의 이용	철의 이용
흙을 반죽하여 모양을 빚은 후 불에 구우면 단단해지는 과학적 원리를 이용하였다. 토기는 음식의 저장, 운반, 조리 등에 사용되었다.	구리에 주석 등을 섞어 가열하면 합금인 청동이 만들어진다. 청동을 가열하여 녹인 후 거푸집에 부어 검이나 거울 등 다양한 도구를 만들었다.	철광석에 숯 등을 넣고 매우 높은 온도로 가열하면 철이 얻어진다. 철은 강도가 높고 가공하기가 비교적 쉬워 무기, 농기구, 생활용품 등에 이용되었으며, 이는 인류의 생활 수준을 크게 향상시켰다.
토기	 청동 도끼	철제 농기구

2. 인류 문명의 발달에 영향을 미친 과학
과학의 발달은 사람들의 사고방식이나 사회에 변화를 가져왔고, 이는 인류 문명 발달의 바탕이 되었다.

(1) **태양 중심설**: 코페르니쿠스(Copernicus, N., 1473~1543)가 주장한 우주관으로, 지구를 비롯한 다른 행성들이 태양을 중심으로 돌고 있다는 것이다. 이는 지구가 우주의 중심이라는 우주관에 변화를 가져왔다. 또한, 갈릴레이(Galilei, G., 1564~1642)는 망원경으로 천체를 관측하여 태양 중심설의 증거를 발견하였다. 이를 통해 경험 중심의 과학적 사고를 중시하게 되었다. 과학 용어 사전 165쪽

갈릴레이의 망원경

(2) **세포의 발견**: 현미경을 이용하여 세포를 발견함으로써 인간을 비롯한 생물체를 작은 세포가 모여서 이루어진 존재로 인식하게 되었다. 과학 용어 사전 165쪽

(3) **만유인력 법칙과 운동 법칙**: 만유인력 법칙과 운동 법칙을 발견함으로써 자연 현상을 이해하고 그 변화를 예측할 수 있게 되었으며, 이는 과학 발전의 토대가 되었다.

불의 발견과 이용
초기에 인류는 화산 폭발이나 번개 등 자연적으로 발생하는 불에서 불씨를 얻고, 이를 보존하여 사용하였다. 이후 나무나 돌을 마찰시키면 열이나 불꽃이 발생하는 과학적 원리를 이용하여 원하는 때에 불을 피울 수 있게 되었다.

 청동
청동은 구리에 주석이 섞인 합금으로, 인류가 처음으로 도구를 만드는 데 사용한 금속이다.

 거푸집
금속을 가열하여 녹인 액체를 부어 원하는 모양의 도구를 만드는 틀이다.

도구와 인류의 문명
인류가 돌로 만든 도구를 주로 사용하여 문명을 이룬 시기를 석기시대라고 하며, 마찬가지로 청동기시대, 철기시대로 구분한다.

만유인력 법칙과 운동 법칙
• 만유인력 법칙: 만유인력은 질량을 갖는 모든 물체들 사이에 작용하는 서로 끌어당기는 힘으로, 이 힘은 떨어진 거리의 제곱에 반비례하고, 각각의 질량에 비례한다.
• 운동 법칙: 물체의 운동에 관한 세 가지 기본 법칙으로, 관성 법칙, 가속도 법칙, 작용 반작용 법칙이 있다.

3. 과학기술과 인류 문명의 발달 과학기술의 발달은 인쇄, 공업, 교통, 농업, 의료, 정보 통신 등 다양한 분야에 영향을 주었으며, 이는 인류 문명에도 변화를 가져왔다.

(1) **인쇄 출판의 발달:** 활자를 조합하는 활판 인쇄술이 발달하면서 책을 대량으로 만들 수 있게 되었다. 인쇄술의 발달로 대량의 지식과 정보를 쉽게 접할 수 있게 됨에 따라 종교의 영향에서 벗어나 인간 중심으로 세상을 보게 되었다. 또한, 자연에 관한 책이 많이 출판되어 근대 과학 발전의 토대가 되었다. 과학 용어 사전 165쪽

(2) **공업과 교통수단의 발달:** 증기 기관은 증기의 압력을 이용하여 기계를 움직이게 하는 장치로, 이를 이용한 기계가 발명되어 제품의 대량 생산이 이루어지면서 산업 혁명이 시작되었다. 또한, 증기 기관을 이용한 증기 기관차와 증기선이 만들어져 교통이 발달하였다. 이와 같은 변화는 산업뿐만 아니라 사회에도 큰 변화를 가져왔다.

(3) **식량의 대량 생산:** 산업 혁명 후 인구가 증가함에 따라 식량 부족 문제가 나타났다. 이를 해결하기 위해 암모니아를 합성하는 기술을 이용하여 질소 비료를 만들어 농산물 생산량이 크게 증가하였다.

활판

증기 기관차

암모니아 합성 장치

(4) **의료 분야의 발달:** 종두법 발견 이후 여러 가지 백신이 개발되어 질병을 예방할 수 있게 되었으며, 페니실린 발견으로 시작된 항생제 개발로 질병을 치료할 수 있게 되었다.

(5) **전기의 사용:** 자석이 코일 주위에서 움직이면 전류가 흐르는 전자기 유도 현상을 발견하여 전기를 생산하고 활용할 수 있게 되었으며, 이를 바탕으로 전기 에너지를 산업, 사회 전반에 이용하게 되었다.

(6) **정보 통신의 발달:** 소리의 진동을 전기적 신호로 바꾸는 기술을 바탕으로 전화기가 발명된 이후, 과학기술 발달을 바탕으로 음성과 영상을 동시에 전달하는 텔레비전, 컴퓨터 등을 발명하였다.

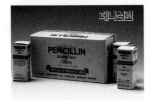
페니실린

조명

전화기

용어 **산업 혁명**

18세기 후반 유럽에서 증기 기관을 동력원으로 이용하게 되면서 산업과 사회에 일어난 큰 변화를 산업 혁명(1차 산업 혁명)이라고 한다.

용어 **종두법**

우두에 걸렸던 사람은 천연두에 걸리지 않는 것을 발견하고, 천연두를 예방하기 위해 우두를 일으키는 균을 사람에게 접종하는 것이다.

용어 **백신**

병원체의 독성을 약화시키거나 없앤 후 생체에 주입하여 면역성을 갖게 하는 것이다.

용어 **페니실린** 과학 용어 사전 165쪽

푸른곰팡이로부터 추출한 최초의 항생제이다.

용어 **전자기 유도**

코일 주위에서 자석을 움직이면 코일에 전류가 흐르게 되는 현상을 전자기 유도라고 한다.

전자기 유도는 **2권 080쪽~081쪽**을 보면 자세히 알 수 있어요.

학습 내용 Check

정답과 해설 094 쪽

1. 인류가 직접 _____을 피우고, 이를 도구를 만드는 데 이용하면서 인류 문명도 발달했다.

2. 코페르니쿠스가 주장한 _____은 지구가 우주의 중심이라는 우주관을 변화시켰다.

3. _____은 증기의 힘을 이용하여 기계를 움직이는 장치로, 산업 혁명의 원동력이 되었다.

2 편리한 생활과 과학기술

1. 과학기술 발달로 편리해진 생활 과학 원리와 과학기술 발달을 바탕으로 한 수많은 기기와 물건 등으로 우리 삶은 이전보다 편리해졌으며, 생활 양식도 크게 변하였다.

(1) **교통수단**: 고속 열차나 비행기 등을 이용하여 이전보다 훨씬 빠르게 이동할 수 있다.

(2) **식량 생산**: 유전 공학 기술을 이용하여 농산물의 품종을 개량하고, 최적의 환경에서 농산물을 재배하여 생산성을 높였다.

(3) **의료 분야**: 질병 치료와 예방을 위한 다양한 의약품이 개발되었고, 질병의 진단과 치료를 위한 다양한 의료 기기가 개발되었다.

(4) **정보 통신**: 인터넷, 인공위성 등을 이용하여 매우 빠른 속도로 세계 각국에서 대량의 정보를 주고받을 수 있다.

(5) **인쇄 출판**: 종이책 외에도 전자 기기에서 볼 수 있는 콘텐츠의 형태로 책을 만든다.

(6) **생산 공정의 자동화**: 사람이 하던 작업을 기계가 대체하고 있으며, 컴퓨터와 각종 계측 장비를 이용하여 공장의 생산 공정이 자동화 되었다.

원격 의료 기술
정보 통신 기술을 이용하여 멀리 떨어져 있는 환자를 진단하고 처방하는 등의 기술이다. 이를 통해 장소에 관계없이 의료 지원을 받을 수 있다.

2. 공학적 설계 과학 원리나 기술을 바탕으로 기존의 제품을 개선하거나 새로운 제품이나 시스템을 개발하는 창의적인 과정으로, 한 번의 과정으로 완성되는 것이 아니라 평가를 통해 설계 과정을 반복하여 가장 적합한 결과물을 만들어 낸다.

문제점 인식 및 목표 설정하기 → 정보 수집하기 → 다양한 해결책 탐색하기 → 해결책 분석 및 결정하기 → 설계도 작성하기 → 제품 제작하기 → 평가 및 개선하기

자료⁺더하기 전기 자동차를 개발할 때 고려해야 하는 점

전기 자동차는 전기를 동력으로 하여 움직이는 자동차로, 배터리(축전지)에 축적된 전기로 모터를 회전시켜 움직이게 한다. 전기 자동차는 배기가스를 배출하지 않고, 소음이 거의 없다.

① 가솔린 자동차보다 먼저 제작되었으나 무거운 배터리, 충전 시간 등의 문제 때문에 실용화되지 못하다가 환경 오염이 심각해지면서 그 필요성이 대두되어 개발되었다.

② 경제성을 고려하여 용량이 큰 배터리가 필요하며, 편리성을 위해 충전할 수 있는 곳을 늘려야 한다. 또한, 안전에 대비하여 소음이 없는 전기 자동차가 접근하는 것을 보행자가 알 수 있도록 경보음 장치가 필요하다. 더불어 소비자의 취향을 반영하여 자동차의 외형을 디자인 해야 한다.

학습 내용 Check

정답과 해설 094쪽

1. _____ 발달을 바탕으로 한 수많은 기기와 물건 등으로 우리 삶은 이전보다 편리해졌다.

2. _____는 과학 원리나 기술을 바탕으로 기존의 제품을 개선하거나 새로운 제품이나 시스템을 개발하는 창의적인 과정이다.

③ 과학기술이 만들어 갈 미래

1. 첨단 과학기술의 활용 과학기술이 점점 발달하고, 이를 적용한 기기 등이 만들어짐에 따라 과학기술이 우리의 생활에 미치는 영향이 더 커질 것이다.

└ 제품의 소형화, 경량화가 가능해진다.

(1) **나노 기술**: 물질을 나노미터 크기로 작게 하면 물질 고유의 성질이 바뀌어 새로운 특성을 갖는 것을 이용하여 다양한 소재나 제품을 만드는 기술이다. 이를 활용하여 나노 표면 소재, 나노 반도체, 의료용 나노 로봇, 휘어지는 디스플레이 등을 만든다.

(2) **생명 공학 기술**: 생물의 특성과 생명 현상을 이해하고, 이를 인간에게 유용하게 이용하거나 인위적으로 조작하는 기술로, 유전자 재조합 기술, 세포 융합 기술 등이 있다. 이를 활용하여 식량 문제를 해결하거나 의약품, 질병 치료 방법 등을 개발한다.

① **유전자 재조합 기술**: 어떤 생물의 유전자 중 유용한 유전자를 다른 생물의 유전자와 조합하는 기술이다. **예** 제초제에 내성을 가진 콩의 개발

② **세포 융합 기술**: 서로 다른 특징을 가진 두 종류의 세포를 융합하여 하나의 세포로 만드는 기술이다. **예** 오렌지와 귤의 세포를 융합한 감귤의 개발

휘어지는 디스플레이

제초제에 내성 가진 콩

세포 융합 감귤

(3) **정보 통신 기술**: 정보 통신 기술을 활용한 수많은 전자 기기가 개발되어 통신망으로 연결되고 있다. 특히 모든 사물을 인터넷으로 연결하는 사물 인터넷 기술(IoT), 방대한 정보를 분석하여 활용하는 빅 데이터 기술이 발달하고 있다.

└ 매우 빠른 속도로 생산되고 있는 많은 데이터를 실시간으로 수집하고 분석하여 의미 있는 정보를 추출하는 기술이다.

(4) **무인 항공기 기술**, 실감형 가상·증강 현실, 자율 주행 기술 등 수많은 과학기술이 개발되고 있으며, 이러한 과학기술이 실현되면 우리 생활을 크게 변화시킬 것이다.

└ 멀티 콥터 드론은 정밀한 자세 제어, 민첩한 기동이 가능한 무인 항공기이다.

2. 4차 산업 혁명과 지능 정보 기술

(1) **4차 산업 혁명**: 증기 기관을 바탕으로 한 산업 혁명 이후로 과학기술의 발달로 2차, 3차 산업 혁명의 시기를 지나 오늘날은 4차 산업 혁명의 시기라고 한다.

(2) **지능 정보 기술**: 4차 산업 혁명을 이끄는 핵심적인 기술로, 인공 지능 기술과 데이터 활용 기술을 바탕으로 한 기술이다. 지능 정보 기술은 사람과 사물, 정보를 상호 연결하여 기술과 사회의 융합을 가속화하고, 과학기술의 영향력이 더 커지는 사회로 이끌 것으로 예상된다.

학습 내용 Check

정답과 해설 094 쪽

1. _____은 물질을 나노미터 크기로 작게 하여 다양한 소재나 제품을 만드는 기술이다.

2. _____은 4차 산업 혁명의 핵심적인 기술로, 인공 지능 기술과 데이터 활용 기술을 바탕으로 한 기술이다.

용어 **나노미터(nm)**

1 nm는 $\frac{1}{10억}$ m의 길이로, 사람 머리카락 굵기의 $\frac{1}{100만}$ 정도로 매우 작다.

유전자 변형 생물(LMO)

유전자 재조합 기술 등의 생명 공학 기술을 활용하여 새롭게 조합된 유전 물질을 포함하는 생물(**예** 제초제에 내성을 가진 콩)을 말한다. 안전성에 관한 논란이 있어 이에 대한 연구가 진행되고 있다.

바이오칩

DNA, 단백질 등의 생물 분자들을 반도체와 결합시켜 유전자 결함, 단백질 분포, 반응 양상 등을 분석해 낼 수 있는 칩이다.

용어 **실감형 가상·증강 현실**

가상 현실(VR)은 가상의 세계를 현실처럼 체험하도록 하는 기술이고, 증강 현실(AR)은 현실 세계에 가상의 정보가 실제 존재하는 것처럼 보이게 하는 기술이다. 더 나아가 실감형 가상·증강 현실은 인간의 3차원 시각 인지 신호를 자극하는 실감 영상을 바탕으로 실제와 유사한 경험, 감성을 제공하는 기술이다.

4차 산업 혁명 시대

물리적 공간, 디지털적 공간, 생물학적 공간의 경계가 희석되는 기술 융합의 시대를 말한다.

용어 **인공 지능(AI) 기술**

인간의 뇌 구조에 대한 지식을 바탕으로 컴퓨터나 로봇 등이 인간과 같이 사고하고, 학습하고, 의사 결정을 할 수 있게 하는 기술이다.

01 다음은 불의 이용과 인류 문명 발달에 대한 설명이다.

> (가) 불을 조명, 난방, 음식 조리 등에 직접 이용하였다.
> (나) 흙을 반죽하여 모양을 빚어 불에 구워 토기를 만들었다.
> (다) 불을 이용하여 청동, 철을 생산해 도구를 만들었다.

이에 대한 설명으로 옳은 것을 보기에서 모두 고른 것은?

> **보기**
> ㄱ. (가)로 인해 인류는 생존에 유리해졌다.
> ㄴ. (나)는 과학 원리가 필요 없는 아주 쉬운 일이다.
> ㄷ. (다)에서 청동은 철을 얻는 것보다 어려워서 철보다 늦게 널리 이용되었다.

① ㄱ　② ㄷ　③ ㄱ, ㄴ　④ ㄴ, ㄷ　⑤ ㄱ, ㄴ, ㄷ

02 다음은 인류의 사고 방식에 큰 변화를 가져온 과학 원리나 과학기술의 예이다.

> (가) 망원경으로 천체를 관측하여 태양을 중심으로 지구를 비롯한 행성이 돌고 있다는 것을 입증하였다.
> (나) 현미경을 이용하여 세포를 관찰하여 생물체가 세포로 이루어져 있음을 밝혔다.
> (다) 만유인력 법칙과 운동 법칙의 발견으로, 천체에 작용하는 힘과 우리 주변의 물체에 작용하는 힘에 관해 알게 되었다.

이에 대한 설명으로 옳은 것을 보기에서 모두 고르시오.

> **보기**
> ㄱ. (가)를 통해 우주관이 변화하였으며, 경험 중심의 과학적 사고를 중시하게 되었다.
> ㄴ. (나)를 통해 생물체를 보는 관점이 달라졌다.
> ㄷ. (다)를 통해 행성과 지상의 물체에 작용하는 법칙은 전혀 다르며, 자연 현상은 예측하기 어렵다는 생각이 확산되었다.

03 다음은 어떤 과학기술과 그 영향에 대한 설명이다.

> (㉠)은 연료를 연소시켜 물을 끓여 만든 수증기의 힘으로 기계를 움직이게 하는 장치이다. 18세기 유럽에서는 ㉠을 이용한 기계가 발명되어 대량 생산이 이루어졌다. 또한, ㉠을 이용한 기관차와 증기선으로 먼 거리까지 사람과 물건이 빠르게 이동하면서 산업과 사회가 크게 변하였다. 이를 (㉡)이라고 한다.

㉠, ㉡에 알맞은 말을 각각 쓰시오.

04 과학기술 발달의 영향에 대한 설명으로 옳지 <u>않은</u> 것은?

① 활판 인쇄술의 발달로 소수의 사람들만 지식과 정보를 독점할 수 있었다.
② 암모니아 합성 기술을 이용한 질소 비료의 대량 생산은 인류의 식량 부족 문제 해결에 기여하였다.
③ 백신과 항생제의 개발로 질병을 예방하거나 치료할 수 있게 되었다.
④ 교통수단의 발달로 사람과 물자의 이동이 빨라졌다.
⑤ 전기를 이용하게 되면서 산업과 사회는 크게 변화하였다.

05 다음은 어떤 과학 원리에 대한 설명이다.

> 패러데이는 코일 근처에서 자석을 움직이면 코일에 전류가 흐르게 되는 (㉠) 현상을 발견하였다. 이는 코일과 자석이 서로 상대적인 운동을 할 때 코일을 통과하는 자기장이 변하기 때문에 일어나는 현상이다. 전기를 생산하는 데 쓰이는 (㉡)는 ㉠을 이용한 것으로, 자석이나 코일을 회전시켜 전기 에너지를 얻는 장치이다. ㉠을 토대로 우리는 전기를 이용하게 되었다.

㉠, ㉡에 알맞은 말을 각각 쓰시오.

06 과학기술 발달로 변화된 생활에 대한 설명으로 옳지 <u>않은</u> 것은?

① 컴퓨터와 각종 계측 장비를 이용하여 공장의 생산 공정이 자동화되었다.

② 정보 통신 기술의 발달로 지식의 양이 크게 늘어나 생활에 불편함을 초래하였다.

③ 인터넷, 인공위성 등을 활용하여 수많은 정보를 쉽게 공유하고 전달할 수 있다.

④ 각종 센서와 사물 인터넷 기술 등을 활용하여 농산물 성장에 좋은 환경을 유지하여 농산물 생산량과 품질을 높인다.

⑤ 원격 의료 기술을 이용하여 장소에 관계없이 의료 지원을 받을 수 있다.

07 다음은 무엇에 대한 설명인지 쓰시오.

> 과학 원리나 기술을 활용하여 기존의 제품을 개선하거나 새로운 제품이나 시스템을 개발하는 과정이다. 이를 수행할 때는 과학 지식과 창의력, 분석력 등이 필요하며, 여러 사람이 협업을 통해 상호 작용 하는 과정으로, 한 번에 해결되는 것이 아니라 반복되는 과정을 통해 가장 적합한 결과물을 만들어 낸다. 이때 경제성, 안전성, 윤리성, 심미성 등의 현실적 조건을 반영해야 한다.

08 미래 생활에 영향을 미칠 과학기술에 대한 설명으로 옳지 <u>않은</u> 것은?

① 나노 기술 — 인간이 하는 위험한 일을 로봇이 할 수 있도록 다양한 기술을 연구하는 영역이다.

② 세포 융합 기술 — 서로 다른 특징을 가진 두 종류의 세포를 융합하여 하나의 세포로 만드는 기술이다.

③ 자율 주행 기술 — 운전자가 차량을 직접 조작하지 않아도 스스로 주행하도록 하는 기술이다.

④ 사물 인터넷 기술 — 각종 사물에 센서와 통신 기술을 내장하여 실시간으로 데이터를 주고받는 기술이다.

⑤ 빅 데이터 기술 — 매우 많은 양의 데이터를 수집하고 분석하여 의미 있는 정보를 추출하는 기술이다.

09 다음은 생명 공학 기술을 이용하여 개발한 작물에 대한 설명이다.

> (가) 제초제는 식물에 필요한 효소 단백질과 결합하여 기능을 저해함으로써 식물을 죽게 한다. 제초제의 작용점이 되는 표적 효소와 구조가 달라 제초제와 결합하지 않는 유전자를 다른 생물종에서 분리하여 이식하거나 제초제 자체를 불활성화시키는 변형 효소의 유전자를 이식하여 ㉠ 제초제에 내성이 있는 콩을 만들었다.
>
> (나) ㉡ 바이타민 A를 강화한 쌀은 옥수수와 미생물로부터 베타카로틴 합성에 필요한 효소를 생산하는 유전자를 분리한 후 쌀의 염색체에 삽입하여 만들었다.

이에 대한 설명으로 옳은 것을 보기에서 모두 고른 것은?

> **보기**
>
> ㄱ. ㉠, ㉡은 유전자 변형 생물이다.
>
> ㄴ. ㉠, ㉡은 유전자 재조합 기술을 이용하여 만든다.
>
> ㄷ. ㉠, ㉡은 물질이 나노미터 크기로 작아지면 새로운 성질이 나타나는 것을 이용한 것이다.

① ㄱ   ② ㄷ   ③ ㄱ, ㄴ   ④ ㄴ, ㄷ   ⑤ ㄱ, ㄴ, ㄷ

10 과학기술 발달이 미래에 미치는 영향으로 옳지 <u>않은</u> 것을 모두 고르면? (정답 2개)

① 인공 지능 기술과 빅 데이터 기술을 바탕으로 한 지능 정보 기술의 발달로 사회와 산업 전반에 큰 변화가 일어나고 있다.

② 과학기술 발달로 어려운 과학기술을 알지 못하는 사람이 점점 많아지므로 과학기술이 사회에 미치는 영향력이 점점 줄어들 것이다.

③ 과학기술 발달로 물리적, 디지털적, 생물학적 공간의 경계가 희석되는 기술 융합의 시대가 올 것이다.

④ 과학기술 발달은 우리의 삶을 풍요롭고 편리하게 해 주는 긍정적인 영향만 있으며, 환경 오염 문제나 윤리적 문제와 같은 부정적인 영향은 없다.

⑤ 과학기술 발달은 직업, 문화, 예술 등 다양한 방면에 영향을 미친다.

정답과 해설 095쪽

01 다음은 철의 제련과 암모니아 합성에 대한 설명이다.

> • 철광석과 코크스 등을 용광로에 넣으면 코크스가 일산화 탄소로 되고, 이 일산화 탄소와 철광석의 산화철이 반응하여 ㉠철이 얻어진다.
> • 하버는 공기 중의 (가)와 수소를 반응시켜 ㉡암모니아를 대량으로 합성하는 방법을 개발하였다.

이에 대한 설명으로 옳은 것을 보기에서 모두 고른 것은?

> 보기
> ㄱ. ㉠으로 만든 농기구의 사용은 식량 생산량 증대에 기여하였다.
> ㄴ. (가)는 질소이다.
> ㄷ. ㉡은 인류의 식량 부족 문제를 해결하는 데 기여하였다.

① ㄱ   ② ㄷ   ③ ㄱ, ㄴ
④ ㄴ, ㄷ   ⑤ ㄱ, ㄴ, ㄷ

02 다음은 어떤 과학기술에 대한 설명이다.

> 연료를 연소시켜 물을 끓이면 물이 수증기로 되는데, 이 수증기의 힘을 이용하여 기계를 움직이게 하는 장치이다.

이에 대한 설명으로 옳은 것을 보기에서 모두 고른 것은?

> 보기
> ㄱ. 증기 기관에 대한 설명이다.
> ㄴ. 연료의 화학 에너지가 수증기의 열에너지로, 다시 기계의 역학적 에너지로 전환된다.
> ㄷ. 이 장치를 동력원으로 한 기계들이 널리 쓰이게 되면서 소량 생산, 수공업 중심의 사회로 변화되었다.

① ㄱ   ② ㄷ   ③ ㄱ, ㄴ
④ ㄴ, ㄷ   ⑤ ㄱ, ㄴ, ㄷ

03 다음은 과학 원리를 적용하여 어떤 제품을 개발하는 과정에 대한 설명이다.

> 과학 원리나 기술을 바탕으로 기존의 제품을 개선하거나 새로운 제품, 시스템을 개발하는 과정으로, 일반적으로 다음과 같은 단계로 진행된다.
> 문제점 인식 및 목표 설정하기 → 정보 수집하기 → 다양한 해결책 탐색하기 → 해결책 분석 및 결정하기 → 설계도 작성하기 → 제품 제작하기 → (㉠)

이에 대한 설명으로 옳은 것을 보기에서 모두 고른 것은?

> 보기
> ㄱ. 이 과정을 공학적 설계라고 한다.
> ㄴ. 이 과정을 한 번만 거치면 목적에 맞는 제품을 개발할 수 있다.
> ㄷ. ㉠에 알맞은 것은 '공장에서 대량 생산하기'이다.

① ㄱ   ② ㄴ   ③ ㄷ
④ ㄱ, ㄴ   ⑤ ㄴ, ㄷ

04 다음은 어떤 과학기술에 대한 설명이다.

> (가) 원자 또는 분자를 결합시켜 미세 구조를 가진 새로운 물질을 만들거나 기존 물질을 변형시켜 새로운 물질을 만드는 기술이다.
> (나) 외부에서 3차원으로 수술 부위를 확대한 입체 영상을 보면서 로봇 팔을 섬세하게 움직이며 수술을 하게 해 주는 기술이다.

(가), (나)에 해당하는 과학기술을 옳게 짝 지은 것은?

	(가)	(나)
①	나노 기술	의료 로봇
②	나노 기술	증강 현실
③	3D 프린트	인공 지능
④	3D 프린트	의료 로봇
⑤	바이오칩	자기 공명 영상 장치

☞ 제시된 Keyword를 이용하여 문제를 해결해 보자.

1 다음은 어떤 과학 원리와 이를 입증한 과학적 발견에 대한 설명이다.

> 태양이 우주의 중심이고, 지구는 태양의 주위를 도는 천체 중 하나이다. 이는 망원경으로 천체를 직접 관찰한 결과를 토대로 옳음이 입증되었으며, 많은 사람들이 이를 믿게 되었다.

위의 과학 원리가 인류에 미친 영향은 무엇인지 설명하시오.

Keyword 우주관, 과학

_____

_____

_____

2 그림은 증기 기관을 동력으로 하는 증기 기관차와 증기선이다.

증기 기관을 동력으로 하는 증기 기관차와 증기선이 인류 문명에 미친 영향을 설명하시오.

Keyword 이동, 산업

_____

_____

_____

3 다음은 어떤 과학기술에 대한 설명이다.

> 연잎의 표면에는 지름 1 nm 정도의 미세한 돌기가 무수히 많기 때문에 물방울이 연잎 표면에 스며들지 못하고, 표면에 맺혀 있다가 떨어지게 된다. 이와 같은 효과가 섬유에도 나타나도록 (㉠)을 적용하여 물에 젖지 않는 섬유를 개발하였다.

연잎 　　　　　　　　물에 젖지 않는 섬유

㉠에 알맞은 과학기술을 쓰고, ㉠을 간단히 설명하시오.

Keyword 나노미터, 물질의 특성, 기술

_____

_____

_____

4 다음은 어떤 과학기술에 대한 설명이다.

> 인간의 뇌 구조에 대한 지식을 바탕으로 컴퓨터나 로봇 등이 인간과 같이 사고하고, 학습하고, 의사결정을 할 수 있도록 하는 기술을 (㉠)이라고 한다. 또한, 매우 빠른 속도로 생산되고 있는 많은 양의 데이터를 실시간으로 분석하여 의미 있는 정보를 추출하는 기술을 빅 데이터 기술이라고 한다. 4차 산업 혁명은 ㉠과 빅 데이터 기술을 바탕으로 한 기술인 (㉡)이 이끌고 있다.

㉠, ㉡에 알맞은 과학기술을 쓰고, ㉡의 영향을 설명하시오.

Keyword 융합, 과학기술

_____

_____

부록
HIGH TOP

염색체와 유전자

본문 개념 학습 012쪽

염색체는 분열하는 세포에서 막대 모양으로 관찰되는 구조물로, DNA와 단백질로 구성된다. 유전자는 생물의 형질을 결정하는 유전 정보의 단위로, DNA의 특정 부위에 있으며, DNA에는 수많은 유전자가 있다. 세포의 핵 속에는 DNA와 단백질이 결합하여 실 같은 상태로 풀어져 있지만, 세포가 분열할 때는 응축되어 막대 모양의 염색체를 형성함으로써 DNA의 유전 정보를 안전하게 보호하고 딸세포에게 고르게 분배할 수 있다.

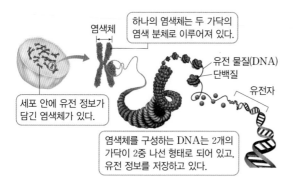

염색체

하나의 염색체는 두 가닥의 염색 분체로 이루어져 있다.

세포 안에 유전 정보가 담긴 염색체가 있다.

유전 물질(DNA)
단백질
유전자

염색체를 구성하는 DNA는 2개의 가닥이 2중 나선 형태로 되어 있고, 유전 정보를 저장하고 있다.

상동 염색체와 염색 분체

본문 개념 학습 013쪽

상동 염색체는 체세포에 있는 모양과 크기가 같은 한 쌍의 염색체이다. 상동 염색체 중 하나는 부계에서, 다른 하나는 모계에서 물려받은 것이다. 염색 분체는 염색체의 동원체에서 맞닿아 있는 각각의 가닥으로, 세포 분열 전에 복제되어 형성된 것이다. 상동 염색체는 부모에게서 하나씩 물려받은 것이므로 유전자 구성이 다르지만, 하나의 염색체를 구성하는 두 염색 분체는 복제되어 형성된 것이므로 유전자 구성이 동일하다.

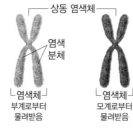

상동 염색체

염색 분체

염색체
부계로부터 물려받음

염색체
모계로부터 물려받음

세포 주기

본문 개념 학습 014쪽

세포 분열로 생긴 딸세포가 생장하여 다시 세포 분열로 새로운 딸세포를 생성할 때까지의 과정으로, 간기와 분열기로 구분된다. 간기는 세포 주기의 대부분을 차지하며, 핵이 관찰되는 시기이다. 간기에는 세포를 구성하는 물질을 합성하고 세포가 생장하며, DNA를 복제하고 세포 분열을 준비한다. 분열기에는 핵분열과 세포질 분열이 일어난다. 핵분열은 두 개의 딸핵을 형성하는 것으로, 염색체가 응축되어 세포 가운데 배열되었다가 염색 분체가 분리되어 양쪽 끝으로 이동하는 행동에 따라 전기, 중기, 후기, 말기로 구분한다. 이후 세포질 분열이 일어나 두 개의 딸세포가 형성된다.

분열기

핵분열 · 세포질 분열

세포 분열 준비

세포가 빠르게 생장

DNA 복제

간기

생식세포 분열(감수 분열)

본문 개념 학습 016쪽

유성 생식을 하는 생물의 생식 기관에서 생식세포를 형성할 때 일어나는 분열로, 분열이 완료되어 형성된 딸세포의 염색체 수가 모세포의 반으로 줄어들기 때문에 감수 분열이라고도 한다. 체세포 분열에서는 간기에 DNA를 복제한 후 1회 분열하여 2개의 딸세포를 형성하는 데 비해 생식세포 분열에서는 간기에 DNA를 복제한 후 연속해서 2회 분열하여 4개의 딸세포를 형성한다. 또, 체세포 분열에서는 염색 분체가 분리되므로 딸세포의 염색체 수가 모세포와 같지만, 생식세포 분열에서는 감수 1분열에 상동 염색체가 분리되므로 최종적으로 형성된 딸세포의 염색체 수는 모세포의 절반이 된다.

2가 염색체

본문 개념 학습 **016**쪽

2가 염색체는 상동 염색체가 접합한 상태의 염색체로, 체세포 분열에서는 관찰되지 않고 생식세포 분열에서만 관찰된다. 2가 염색체는 감수 1분열 전기에 형성되어 중기까지 관찰되는데, 후기에 접합되어 있던 상동 염색체가 분리되어 양쪽 끝으로 이동한다. 이 때문에 감수 1분열이 끝나고 형성된 딸세포의 염색체 수는 모세포의 반으로 줄어든다. 반면에 체세포 분열과 감수 2분열에서는 2가 염색체를 형성하지 않고 2개의 염색 분체가 분리된다. 그 결과 딸세포의 염색체 수와 핵상은 모세포와 같게 유지된다.

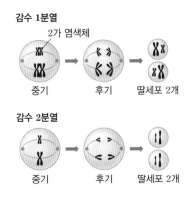

유전자형과 표현형

본문 개념 학습 **034**쪽

생물의 형질을 결정하는 유전자는 알파벳으로 나타내며, 하나의 개체는 하나의 형질을 결정하는 유전자를 한 쌍으로 갖는다. 예를 들어 완두 씨 모양을 결정하는 둥근 유전자를 R, 주름진 유전자를 r라고 할 때, 하나의 개체가 가지는 유전자 구성은 RR, Rr, rr와 같이 나타낼 수 있다. 이와 같이 개체가 갖는 유전자 구성을 기호로 나타낸 것을 유전자형이라고 한다. 유전자형이 RR인 완두와 Rr인 완두는 둥근 모양이 되고, rr인 완두는 주름진 모양이 된다. 둥근 모양과 주름진 모양 같이 겉으로 드러나는 형질을 표현형이라고 한다.

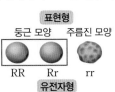

우열의 원리

본문 개념 학습 **035**쪽

특정한 형질에 대한 한 쌍의 유전자가 서로 다르면 그중 하나만 표현되고 다른 하나는 표현되지 않는 것을 말한다. 이때 겉으로 나타나는 형질을 우성이라 하고, 겉으로 나타나지 않는 형질을 열성이라고 한다.
우성과 열성 형질은 표현형이 다른 순종 개체를 교배하여 알아볼 수 있다. 순종인 둥근 완두(RR)와 주름진 완두(rr)를 교배하였을 때 자손(Rr)에서 나타나는 둥근 형질이 우성이다.

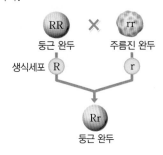

분리의 법칙

본문 개념 학습 **035**쪽

쌍을 이루는 유전자가 생식세포를 형성할 때 분리되어 각각 다른 생식세포로 들어가 자손에서 표현형이 일정한 비율로 나타나는 현상을 분리의 법칙이라고 한다. 예를 들어 유전자형이 Rr인 완두를 자가 수분하면 자손에서 둥근 완두와 주름진 완두가 3 : 1의 비로 나타나는데, 이것은 생식세포를 형성할 때 유전자 R와 r가 분리되어 서로 다른 생식세포로 들어가서 수정되었기 때문이다.

본문 개념 학습 036쪽

독립의 법칙

멘델의 유전 원리에서 독립의 법칙은 두 가지 이상의 형질이 동시에 유전될 때 각각의 형질을 나타내는 유전자가 서로 영향을 주지 않고 분리의 법칙에 따라 각각 독립적으로 유전되는 현상이다. 예를 들어 완두 씨 모양(둥근 모양(R) / 주름진 모양(r))과 완두 씨 색깔(노란색(Y) / 초록색(y))이 동시에 유전될 때, 유전자형이 RrYy인 완두를 자가 수분하면 자손의 표현형 분리비는 완두 씨가 둥글고 노란색 : 둥글고 초록색 : 주름지고 노란색 : 주름지고 초록색=9 : 3 : 3 : 1로 나온다. 완두 씨 모양의 표현형 비는 둥근 완두 : 주름진 완두=12 : 4=3 : 1이고, 완두 씨 색깔의 표현형 비는 노란색 완두 : 초록색 완두=12 : 4=3 : 1로 완두 씨의 모양과 색깔의 유전에서 각각 분리의 법칙이 적용된 것을 확인할 수 있다.

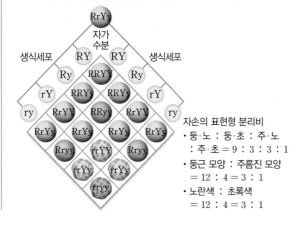

자손의 표현형 분리비
· 둥·노 : 둥·초 : 주·노
  : 주·초 = 9 : 3 : 3 : 1
· 둥근 모양 : 주름진 모양
  = 12 : 4 = 3 : 1
· 노란색 : 초록색
  = 12 : 4 = 3 : 1

본문 개념 학습 044쪽

가계도

가계도는 가족 구성원의 성별, 혈연 및 결혼 관계, 특정 형질의 발현 여부 등을 여러 세대에 걸쳐 도표로 나타낸 것이다. 가계도를 분석하면 대립 형질의 우열 관계, 구성원의 유전자형, 유전 경로 등을 알아낼 수 있다.

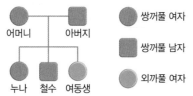

쌍꺼풀 여자

쌍꺼풀 남자

외까풀 여자

본문 개념 학습 046쪽

복대립 유전

복대립 유전은 3개 이상의 대립유전자가 관여하는 유전 현상이다. ABO식 혈액형은 대립유전자가 A, B, O로 3가지이고, 유전자형이 AA, AO, BB, BO, AB, OO의 6가지이며, 표현형은 A형, B형, AB형, O형의 4가지이다.

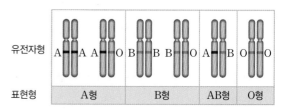

유전자형	A A	A O	B B	B O	A B	O O
표현형	A형		B형		AB형	O형

본문 개념 학습 047쪽

반성유전

형질을 결정하는 유전자가 성염색체에 있어 성별에 따라 형질의 발현 빈도가 다른 유전 현상이다. 반성유전 형질의 예로 적록 색맹이 있다. 적록 색맹은 유전자가 성염색체인 X 염색체에 있으며, 정상에 대해 열성 형질이다. 여자의 성염색체 구성은 XX이고 남자의 성염색체 구성은 XY이므로 정상 유전자를 X, 적록 색맹 유전자를 X'라 할 때, 여자는 유전자형이 XX, XX'이면 정상, X'X'이면 적록 색맹으로 나타나며, 남자는 유전자형이 XY이면 정상, X'Y이면 적록 색맹으로 나타난다. 딸은 부모로부터 X 염색체를 하나씩 물려받으므로 아버지가 정상(XY)이면 반드시 정상(XX 또는 XX')이다. 남자의 X 염색체는 어머니로부터 물려받으므로 어머니가 적록 색맹(X'X')일 경우 아들은 반드시 적록 색맹(X'Y)이다.

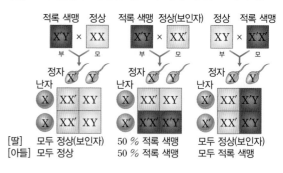

적록 색맹 정상	적록 색맹 정상(보인자)	정상 적록 색맹
X'Y × XX	X'Y × XX'	XY × X'X'
부 모	부 모	부 모
[딸] 모두 정상(보인자)	50 % 적록 색맹	모두 정상(보인자)
[아들] 모두 정상	50 % 적록 색맹	모두 적록 색맹

자동차의 운동 에너지와 안전

자동차가 정지할 때까지 이동한 거리를 정지 거리라고 한다. 운전자가 보행자나 신호를 보고 상황을 판단해서 브레이크를 밟을 때까지 걸리는 시간 동안 자동차가 이동한 거리를 반응 거리라고 하며, 브레이크를 밟은 후 마찰력에 의해 정지할 때까지 자동차가 이동하는 거리를 제동 거리라고 한다. 이때 반응 거리와 제동 거리를 합한 것이 정지 거리가 된다.

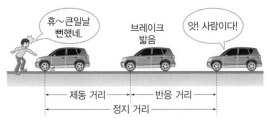

자동차의 정지 거리

① 반응 거리: 운전자가 보행자를 발견하고, 브레이크 페달을 밟을 때까지 시간이 걸린다. 매우 짧은 시간이지만 이 시간 동안 속력이 빠른 자동차의 이동 거리는 짧지 않다. 예를 들어 자동차의 속력이 시속 50 km이면 자동차는 1초에 14 m를 이동하고, 자동차의 속력이 시속 100 km이면 자동차는 1초에 28 m를 이동한다. 이러한 자동차의 이동 거리는 운전자가 정상적인 상태에서 반응했을 때의 거리이다. 만약, 운전자가 피곤한 상태이거나 음주한 상태인 경우 반응 시간이 길어져 반응 거리가 더 길어지므로 교통사고의 위험이 커지게 된다.

② 제동 거리: 운전자가 브레이크를 밟아 자동차의 바퀴가 정지하여도 자동차는 바로 멈추지 못하고 미끄러진다. 이때 자동차 타이어와 도로면 사이에 마찰이 발생해 자동차가 완전히 정지할 때까지 시간이 걸린다. 제동 거리는 자동차의 운동 에너지가 클수록 크기 때문에 속력의 제곱에 비례한다. 예를 들어 자동차의 속력이 20 km/h일 때 제동 거리가 6 m이면, 40 km/h일 때 제동 거리는 24 m가 된다. 자동차의 속력이 빨라지면 자동차의 제동 거리가 훨씬 길어지기 때문에 운전자는 위험을 피하기가 어려워진다.

전자기 유도

코일 주위에서 자석을 움직이거나 자석 주위에서 코일을 움직일 때 코일을 지나는 자기장이 변하여 코일에 전류가 유도되는 현상을 전자기 유도라고 한다.

① 유도 전류의 방향: 코일에 자석의 N극을 가까이 하면 코일에 전류가 발생하여 검류계의 바늘이 움직인다. 이때 코일에서 자석의 N극을 멀리 하면 반대 방향의 전류가 발생하여 검류계의 바늘이 반대로 움직인다. 마찬가지로 S극을 가까이 하거나 멀리 할 때도 검류계의 바늘이 움직이며, 전류의 방향은 서로 반대 방향이다. 또한 자석의 N극을 코일에 가까이 할 때와 자석의 S극을 코일에 가까이 할 때 유도 전류의 방향은 서로 반대 방향이다.

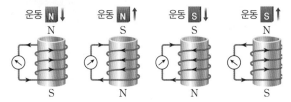

자석의 극과 자석의 움직임에 따른 유도 전류의 방향

② 전자기 유도의 이용

인덕션 레인지는 전자기 유도를 이용하여 금속 물체를 가열시키는 유도 가열(induction heating(IH))을 이용하여 음식을 조리한다. 코일에 전류가 공급되면 가열하려고 하는 금속에 맴돌이 전류가 발생하고, 금속의 저항에 의해 발생한 열에 의해 온도가 높아지게 된다. 따라서 인덕

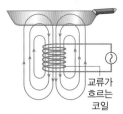

교류가 흐르는 코일

인덕션 레인지의 원리

션 레인지를 사용하여 음식을 조리하려면 조리 용기가 전류가 흐를 수 있는 물질로 만들어져야 한다.

전자기 유도를 이용한 다른 예로는 교통 카드가 있다. 교통 카드 단말기에서 끊임없이 변하는 자기장이 발생하고 있는데, 여기에 교통 카드를 가까이 하면 교통 카드 내부의 코일에 전류가 유도되어 교통 카드가 작동된다.

반도체 칩

코일

교통 카드

패러데이

패러데이(Faraday, M.,1791~1867)는 전자기학과 전기 화학 분야에 큰 기여를 한 영국의 물리학자이자 화학자로 직류 전류가 흐르는 도체의 자기장을 연구하여 이에 대한 기초를 세웠다. 패러데이는 전자기 유도, 반자성 현상, 그리고 전기 분해를 발견하였다.

가난한 대장장이의 아들로 태어나 학교도 다닐 수 없었던 패러데이는 13살에 서점과 문방구를 운영하던 리보의 조수로 취직한다. 그러다 제본소의 수습공으로 승진하여, 『브리태니커 백과사전』을 제본하면서 과학에 흥미를 느끼게 되었다.

패러데이

패러데이가 20살이 되던 해에 당시 옥스퍼드 대학의 교수였던 험프리 데이비로부터 조수 자리를 제의 받았다. 패러데이는 비록 전문 교육을 받지 못했고, 미적분학과 같은 고등수학은 일부밖에 알지 못했지만, 역사에서 영향력 있는 과학자 중 하나이다. 그는 실험을 통해 전자기 유도 법칙뿐만 아니라 수많은 발견을 해냈지만, 이를 이용해 돈을 벌 수 있는 특허권과 무기 개발을 거부했다. 한편 패러데이는 실험뿐만 아니라 강의에도 소질이 있었다. 그는 왕립학회의 회원으로 초대되었으며, 영국 과학자들이 주도했던 왕립학회의 대중 강연에서 강연을 하였는데 상당한 인기를 누렸다. 그의 업적을 인정한 영국왕립연구소는 회장직과 함께 호화저택과 기사작위를 주려 하였으나, 이를 거절했다. 후에 영국 정부가 그의 업적을 치켜세워 뉴턴과 나란히 웨스트민스터 사원에 묻힐 자격이 있다며 당시 귀족들만 묻힐 수 있었던 묘지를 지정해 주었으나, 그는 작은 공동묘지에 묻히길 원한다며 이마저도 거절했다. 그러면서 그는 '배우지 못해 꿈도 꾸지 못하는 아이들을 위해 과학 강연을 할 수 있게 해 달라.'며 청원을 했고, 어린이들을 위한 강연을 하며 많은 아이들에게 꿈을 심어 주었다.

에너지의 근원, 태양 에너지

태양 에너지는 태양으로부터 오는 열에너지와 빛에너지로, 지구상에서 일어나는 대부분의 자연 현상과 생명체 활동의 근원이 된다. 식물은 태양 에너지를 이용하는 광합성 작용으로 에너지를 저장하고, 동물은 식물을 섭취하여 에너지를 저장한다. 수백만 년 전에 살았던 식물이나 동물의 유해가 땅속에 묻혀 오랜 시간이 지나 형성된 석탄, 석유, 천연가스와 같은 화석 연료는 태양으로부터 얻은 에너지를 압축·저장하고 있는 연료이다.

자연 현상이나 생명체 활동 외에 여러 에너지 발전 분야에서도 태양 에너지를 이용한다. 태양열 전지나 태양광 발전 등은 태양 에너지를 이용하여 전기를 발생시키고, 조력 발전, 풍력 발전, 파력 발전 등도 태양 에너지로 가열되고 순환하는 공기나 물을 이용하여 발전을 한다. 따라서 이러한 모든 에너지의 근원은 태양이라고 할 수 있다.

화력 발전 과정

화력 발전소에서는 석탄, 석유, 천연가스와 같은 화석 연료를 태워 물을 끓인다. 이렇게 끓인 물은 고압의 증기를 만들어 증기 터빈을 돌리고, 터빈과 연결된 발전기에서 전자기 유도에 의해 전기 에너지가 만들어진다.

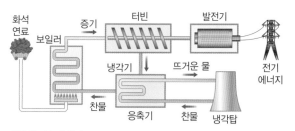

화력 발전소의 원리

화력 발전소에서 얻은 전기 에너지는 보일러에서 태운 화석 연료의 화학 에너지의 일부이다. 화학 에너지의 일부는 증기나 배기가스 등의 열에너지로 전환된다. 천연가스를 전기 에너지로 전환하는 일부 화력 발전소의 경우, 버려지는 배기가스를 이용해 별도의 터빈을 돌려 전기 에너지로 전환되는 비율을 높인다.

본문 개념 학습 125쪽

독수리성운

독수리성운(M16 혹은 NGC6611)은 매우 유명하고 널리 알려진 천체 중 하나로, 뱀자리와 궁수자리의 경계 근처에 있는 성운이다. 지구에서 약 7000광년 떨어진 곳에 있으며, 독수리성운의 왼쪽 기둥

모양의 길이는 약 1.2 pc이나 된다. 성운 자체의 나이는 약 550만 년으로 추정된다. 독수리성운에서는 새로운 별이 계속 탄생하고 있어 창조의 기둥이라 불리기도 한다.

본문 개념 학습 126쪽

좀생이 성단

황소자리 부근의 산개 성단으로, 서양에서는 아틀라스의 일곱 자매라는 뜻인 플레이아데스 성단이라고 불린다. 좀생이 성단은 지구와 가장 가까운 성단 중 하나이며, 맨눈으로 쉽게

볼 수 있다. 과거에는 좀생이 성단이 주변에 있는 성운에서 만들어진 것으로 추정하였으나, 연구 결과 좀생이 성단은 황소자리와 마차부자리에 넓게 퍼져 있는 성운을 지나가고 있기 때문에 성단의 별빛이 성운의 먼지에 산란되어 성운 일부가 우리 눈에 파랗게 보인다는 것이 밝혀졌다.

본문 개념 학습 127쪽

허블의 관측

허블은 1929년 외부 은하들의 스펙트럼을 관측한 결과 대부분의 스펙트럼선이 붉은색 쪽으로 치우치는 적색 편이 현상이 나타난다는 사실을 발견하였다. 이는 외부 은하들이 지구로부터 멀어지고 있음을 의미한다. 지구로부터의 거리가 먼 은하일수록 멀어지는 속도가 빨라 적색 편이가 크게 나타나는 사실도 알아냈는데, 이는 방향에 관계없이 먼 거리에 있는 은하일수록 더 빠른 속도로 멀어지고 있음을 의미하는 것이다.

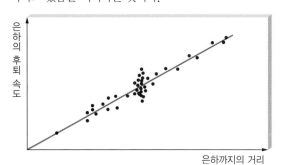

거리에 따른 은하의 후퇴 속도

본문 개념 학습 128쪽

허블 우주 망원경

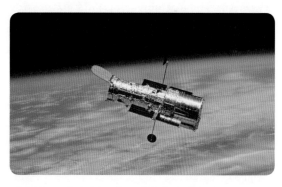

허블 우주 망원경은 지구 대기권 밖에서 가동되는 우주 망원경으로, 미국의 천문학자인 에드윈 허블의 이름을 따서 지어졌다. 1990년 4월에 우주왕복선 디스커버리호에 실려 지구 상공 약 610 km 궤도에 올려졌다. 허블 우주 망원경은 지구 주위를 돌면서 천체의 측광 관측과 분광 관측을 수행할 수 있도록 설계되었으며, 궤도에 오른 지 수십 년이 지난 현재까지도 우주 탐사에 앞장서 새로운 발견을 하고 있다.

인공위성

인공위성은 행성(주로 지구)의 둘레를 공전하는 인공적인 물체로, 목적에 따라 과학 위성, 기상 위성, 통신 위성, 항법 위성, 지구 관측 위성, 군사 위성 등이 있다. 과학 위성은 과학·기술 연구를 위해 이용되는 것으로, 허블 우주 망원경이나 과학 기술 위성 1호와 같이 지구 궤도를 돌면서 천체를 관측하거나 과학 실험을 하는 우주 정거장이 이에 속한다. 기상 위성은 구름 분포, 태풍 등 기상 관측을 위해 발사된 것이다. 통신 위성은 지상으로부터 받은 신호를 지상으로 다시 보내는 중계소 역할을 하는 것으로, 텔레비전과 라디오, 전화 등에 이용된다. 항법 위성은 전파를 발사하여 운행 중인 비행기나 선박이 자신의 위치를 알 수 있게 해 주는 것으로, 최근에는 항법 위성을 이용한 시스템인 지피에스(GPS)가 우리 생활에 널리 이용되고 있다. 지구 관측 위성은 아리랑 1호, 2호와 같이 지구 표면을 관측하여 영상 지도 제작, 자원 탐사, 농작물의 작황 분석, 지상의 각종 재해 감시 등에 이용된다. 군사 위성은 군사 목적의 정찰, 통신, 조기 경보 등에 이용된다.

나로호

나로호는 위성을 탑재한 우리나라 최초의 우주 발사체로, 2009년 8월 25일에 일곱 번의 연기 끝에 발사되었다. 첫 번째 로켓은 성공적으로 발사되었으나 위성의 보호 덮개 중 하나가 분리되지 않아서 인공위성을 궤도에 올리는 데 실패하였다. 2010년 6월 10일에 두 번째로 발사되었으나 70 km 상공에서 폭발하였다. 2013년 1월 30일에 세 번째로 발사된 나로호는 지구 궤도에 진입하였으며, 이로 인해 우리나라는 위성을 지구 궤도에 올리는 데 성공하였다.

지피에스

지피에스(GPS; Global Positioning System)는 GPS 위성에서 보내는 신호를 수신해 사용자의 현재 위치를 계산하는 위성 항법 시스템이다. 항공기, 선박, 자동차 등의 내비게이션 장치에 주로 쓰이고 있으며, 최근에는 스마트폰, 태블릿 PC 등에서도 많이 활용되고 있다. 지피에스(GPS)는 원래 미국에서 폭격의 정확성을 높이기 위해 군사용으로 개발한 시스템이다. 그런데 1983년 대한항공 여객기가 구소련의 영공을 침범하여 격추된 사건을 계기로 미국의 레이건 대통령이 민간에서도 무료로 사용할 수 있도록 허용하였으며, 현재는 전 세계의 많은 국가에서 이를 활용하고 있다.

본문 개념 학습 **148**쪽

태양 중심설

태양 중심설은 코페르니쿠스가 주장한 것으로, 태양이 우주의 중심이고 지구는 태양의 주위를 도는 천체 중의 하나라는 이론이다. 당시 보편적으로 믿고 있던 우주관은 우주의 중심은 지구이며, 지구의 둘레를 달, 태양, 행성들이 각기 고유의 천구를 타고 공전한다는 것이었다. 태양 중심설은 당시의 보편적인 우주관에서 벗어난 매우 혁신적인 사고를 담은 것이었으나 이를 입증할 증거를 제시하지 못했기에 받아들여지지 않았다. 이후 갈릴레이, 케플러, 뉴턴 등의 과학자들이 천체 관측 자료를 바탕으로 태양 중심설의 증거를 찾아냈다. 이를 통해 과학적으로 우주관에 접근할 수 있는 토대가 마련되었으며, 태양 중심설이 과학적 이론으로 자리 잡게 되었다.

본문 개념 학습 **148**쪽

만유인력

질량을 가진 모든 물체 사이에는 서로 끌어당기는 힘이 작용하는데, 이를 만유인력이라고 한다. 만유인력의 크기는 두 물체의 질량 m_1, m_2에 비례하고 두 물체 사이의 거리 r의 제곱에 반비례한다.

$$만유인력 = G\frac{m_1 \times m_2}{r^2} \ (단, G는 만유인력 상수)$$

뉴턴은 지구와 물체 사이에 작용하는 힘이 달과 행성, 나아가 우주에 있는 모든 물체 사이에서도 작용한다는 것을 통하여 만유인력이 지구만의 현상이 아니라 우주 전체에 작용하는 보편적인 현상이라는 것을 밝혀냈다.

본문 개념 학습 **149**쪽

활판 인쇄술

구텐베르크의 활판 인쇄술은 활자들을 배열한 금속 인쇄판에 잉크를 바른 후 종이를 위에 놓고 인쇄기를 눌러 종이에 글자가 인쇄되도록 하는 것이다. 이를 통해 유럽 사회는 '매체 또는 정보의 대폭발'을 경험했다. 이전에는 대략 2개월 만에 1권의 책이 필사될 수 있었지만, 활판 인쇄술이 보급된 이후에는 1주일 만에 5백 권이 넘는 책이 인쇄될 수 있었다고 한다. 인쇄술을 바탕으로 많은 사람들이 책을 접할 수 있게 되면서 특정 계층에서만 소유되던 정보와 지식이 대중화되었다. 서양에서 중세에서 근대로의 변화를 이끈 르네상스, 종교 개혁, 과학 혁명 등의 바탕에는 인쇄술을 통한 지식의 대중화가 있었다.

구텐베르크의 활판 인쇄술

본문 개념 학습 **149**쪽

페니실린

페니실린은 플레밍이 푸른곰팡이로부터 발견한 최초의 항생제이다. 항생제는 미생물이 만들어내는 항생 물질로 된 약제로, 다른 미생물이나 생물 세포를 선택적으로 억제하거나 죽인다.

플레밍은 페트리 접시에 미생물을 키우면서 미생물의 성장을 억제하는 물질을 찾아내는 연구를 하던 중 우연히 페트리 접시에 생긴 푸른곰팡이 주위의 포도상 구균이 사라진 것을 발견했다. 그는 이를 바탕으로 푸른곰팡이로부터 강력한 항균 작용을 가진 물질을 얻었으며, 이를 페니실린이라고 하였다. 이후 페니실린 외에도 여러 가지 항생제가 개발되어 질병 치료에 쓰이고 있다.

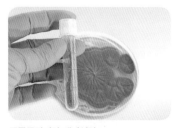

푸른곰팡이와 페니실린

찾아보기

HIGH TOP